Walt Disney
Lustiges Taschenbuch
56
AUF INS MEE !
EGMONT EHAPA MEDIA

IMPRESSUM © Disney Enterprises, Inc. 2022, Walt Disney Lustiges Taschenbuch erscheint 13 Mal im Jahr bei Egmont Ehapa Media GmbH, Alte Jakobstraße 83, 10179 Berlin I **Geschäftsführer** Per Gustav Kjellander I **Editorial Director** Marko Andric (v.i.S.d.P.) I **Marketing & Kooperationen** Jörg Risken (Publishing Director) j.risken@egmont.de, Nora Gollek (Head of Marketing) n.gollek@egmont.de, Christoph Bergholz (Senior Product Manager) c.bergholz@egmont.de I **Redaktion** Stephanie Bens, Madita Ruppender (Assistenz) I **Druck** GGP Media GmbH, Karl-Marx-Straße 24, 07381 Pößneck I **Anzeigenverkauf** Per Gustav Kjellander (verantwortlich) I **Head of Media Sales** Dirk Eggert I **Freie Mitarbeiter dieser Ausgabe** Peter Höpfner (Petit Media), Manuela Buchholz, Peter Daibenzeiher, Eckart Sackmann, Susanne Walter, Stefanie Walther-Kotzé (Übersetzungen), Sigi Hepner, Steffen Uzler (Grafik), Michael Bregel, Ulrike Marotz (Lektorat) I **Kontakt Walt Disney Publishing** Susanne Michels I Die Redaktion arbeitet auf Grundlage der neuen amtlichen Rechtschreibregeln und hält sich bei Auswahlfällen an die vom Duden bevorzugte Schreibweise. I

www.lustiges-taschenbuch.de
www.egmont-mediasolutions.de
www.egmont.de

EGMONT Ehapa Media

story house EGMONT

SERVICE-BOX

LTB im Abo - www.egmont-shop.de/ltb-lesen

Leserservice Lustiges Taschenbuch-Leserservice, 20086 Hamburg, E-Mail: info@egmont-service.de, Tel. 030-99194680, Fax 030-99194681 (reguläre Gesprächsgebühren für einen Anruf im deutschen Festnetz gemäß Ihrem Anbieter und Tarif)

LTB verpasst?
www.egmont-shop.de/comics/ltb

Wo gibt es LTB am Kiosk?
www.mykiosk.com

LTB als eComic?
Erhältlich z. B. bei Amazon, Apple und Google Play

Viele weitere tolle Comic-Angebote:
www.egmont-shop.de

Jahresabo (13 Ausgaben) Deutschland 94,90 € I Österreich 97,50 € I Schweiz SFR 170.00 I www.egmont-shop.de/ltb-lesen

COMICS

Auf ins Meer

5 Prolog: Zurück aus den Ferien, rein in den Urlaub!

9 Plötzlich Perlentaucher

32 Zum glücklosen Kleeblatt

Die Legende des ersten Phantomias Episode 17

56 Teil 1: Eine schicksalhafte Begegnung

99 Teil 2: Die Heldin der Stunde

75 Perfekt vermasselt

121 Voll im Einklang

Tatort Lichtenkogel

151 Teil 1: Entführung im Gebirgszug

179 Teil 2: Eine bahnbrechende Entwicklung

171 #Streithammel

199 Heißzeit

215 Diss-Harmonie

241 Tierisch gute Ferien

254 Mit Stock, Charme und Zylinder: Was nicht rollt, das rutscht

LIEBE FREUNDE!

Ich kann mir wahrlich Besseres vorstellen, als meine Ferien mit Vetter Gustav zu verbringen. Schon gar nicht möchte ich mit ihm auf einem Boot urlauben, auf dem es kein Entkommen gibt vor seinem Geseier sowie seiner Glücksfee, die ihm als Kurschatten völlig genügen dürfte. Da sieht unsereiner keine Sonne! Noch trüber wird es, wenn man dann auch noch zusammen von einem Riesenkraken in die Tiefsee entführt wird. Aber wenn schon Fortuna nicht auf meiner Seite ist, dann vielleicht Poseidon? Das bleibt wohl noch abzuwarten, denn in den Tiefen des Ozeans gibt es nicht nur Schätze zu entdecken. Es lauern auch allerlei Gefahren, die ich wie ein Magnet anzuziehen scheine.
Da bleibe ich lieber zu Hause! Fehlt eigentlich nur eine Klimaanlage. Gesagt, gekauft, geliefert ... Tja, schöner wird's nicht, denn plötzlich steht Dussel vor der Tür, der mir den Luftkühlerquirl installieren will. Da fröstelt's mich direkt. Ich hätte es lieber bei einem Handfächer belassen sollen. Ein Dussel versemmelt eben einfach alles. Selbst wenn er unter einem Perfektionszauber stünde, unter dem er sich zum Tausendsassa wandeln würde, selbst dann wäre eine Katastrophe nicht abzuwenden! Ups, ich glaube, das ist ihm doch tatsächlich passiert! Davon kann wohl Gundel Gaukeley ein Lied singen.

Aber jetzt wird nicht gesungen, sondern gelesen – und zwar in bester Urlaubslaune!

Euer Donald

Maya Åstrup (Story), **Massimo Fecchi** (Zeichnungen)

Aber am Ende haben wir sie verschrottet und auch noch den Strand gerettet!
Und es geht gleich weiter mit den Abenteuern, weil wir heute noch ins Fähnlein-Fieselschweif-Ferienlager fahren! Ist das nicht aufregend?

Für euch vielleicht! Für mich bedeutet es zwei Wochen ungestörtes Schlummerschaukeln in der Hängematte. Gähn!
Nein, im Ernst jetzt, Onkel Donald! Es ist Sommer! Willst du die schönste Jahreszeit im Schatten verdösen?

Und ob ich das will! Ich hatte genug Aufregung für den Rest des Jahres!
Da sind wir ausnahmsweise einer Meinung, Vetterherz!
7913

Ihr habt doch nichts dagegen, dass ich mich zurückziehe, Jungs?
Nein, mach nur! Wir packen noch schnell und verschwinden!
Erwachsene sind schon komisch.

Du hast also keine Pläne für den Sommer? Keine Luxuskreuzfahrt oder dergleichen?
Nichts in der Art. Aber wenn sich etwas anbieten würde, das weder mit Robotern noch mit Kitesurfen zu tun hat, ließe sich darüber reden.
Das höre ich gerne! Ich will Ihnen nämlich einen Vorschlag machen!

Herr Düsentrieb!
Wie sieht Ihr Vorschlag denn aus, Herr Ingenieur?

Ich habe für Herrn Klever den Prototyp einer neuen Modellserie von Luxusjachten gebaut. Dieses Boot will ich nun einer Testfahrt unterziehen. Mögen Sie mich begleiten?
Bei Luxus muss ich nicht lange überlegen. Ich bin dabei!
Mit mir dagegen dürfen Sie nicht rechnen, Herr Düsentrieb.

Oh! Ich hätte gedacht, dass das Angebot Sie reizen würde.
Der da reizt mich mehr! Sie glauben nicht, was ich wegen dem alles durchgemacht habe!

Zuerst ist er am Strand eingepennt, und deshalb haben uns die Roboter erwischt! Dann ist er mir in die Parade gefahren, als ich uns aus dem Käfig herausschwindeln wollte. Und zum Schluss hat er den Kitesurfing-Wettbewerb gewonnen, an dem eigentlich ich teilnehmen wollte!
Erfolglos, wie üblich, und damit umsonst.

Das nächste Abenteuer beginnt...

Walt Disney

AUF INS MEER

Plötzlich Perlentaucher

D 2021-123

Created 2021

Lars Jensen (Story), **Massimo Fecchi** (Zeichnungen)

Für mich ist der Kahn auch unverbessert schon perfekt. Wenn ich reich wäre, würde ich mir so eine Jacht kaufen. Und eine Villa. Und einen Rolls Ruckler.
Das langweilt auf Dauer auch, glaub mir.

Schade nur, das Tick, Trick und Track gerade jetzt im Sommerlager ihres Fähnleins sein müssen. So geht es ehrlich gesagt doch ein bisschen sehr behäbig zu an Bord. Nichts und niemand stört die Ruhe...

...nicht einmal die üblichen Kitesurfer!
Sei so lieb und komm mir nicht mit Kitesurfen! Davon kriege ich die Krätze!*
*Diese Abneigung hat natürlich ihre Gründe. Die man nachlesen kann im LTB 560: *Der Strandraub*.

Nanu? Was fällt mir denn da zu?

Ah, ein liebes Grüßlein von meiner Glücksfee! Die Münze sieht antik aus, die ist mit Sicherheit ein paar hundert Taler wert.

?
Fertig! Und gleich das nächste Glas bestellt auf Knopfdruck!

Und ich langweile mich entsetzlich. Wenn nur mal was Interessantes passieren würde! Dass wir eines dieser Wesen aus den Legenden entdecken, zum Beispiel. Eine Meerjungfrau!

Rette sich, wer kann!
Ach, du quengelnde Qualle!
FLOTSCH

Der Riesenkrake versucht uns unter Wasser zu ziehen! Schnell, Frau Duck, drücken Sie den Notknopf!
Bin schon dabei!
KLICK

VRRRRRRR

BLUBBER

Was für ein Glück, dass sich Ihre Jacht auf Knopfdruck in ein U-Boot verwandeln lässt!

?

A-aber was i-ist d-denn j-jetzt los?
SCHÜTTEL
RÜTTEL
SCHÜTTEL

SCHÜTTEL
RÜTTEL

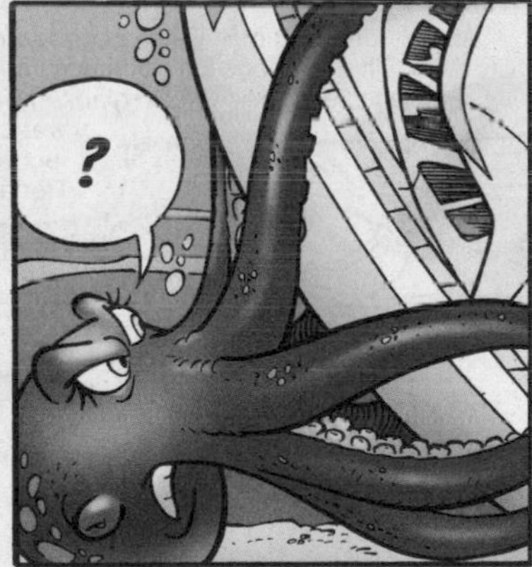
?

Gute Güte!
!
Aah!
Oooh!
Uiuiui!

M-mir will gar nicht gut sein. Und der Krake? Ist er weg?
Ja! Ich habe gesehen, wie er in diese Felsspalte abgetaucht ist!

Das war knapp! Jetzt müssen wir zusehen, dass wir hier rauskommen!
Oh, schaut! Unten in der Felsspalte schimmert irgendein seltsames Licht!

Aber Augenblick mal! Diese besondere Art von Glitzern kenne ich doch aus Onkel Dagoberts Geldspeicher! So glänzen nur waschechte Perlen!

Was sagt man dazu? Das ist meine Chance, endlich auch reich zu werden! Am Grund dieser Felsspalte wartet ein gewaltiges Vermögen auf mich!
Das kannst du nur vermuten! Aber dass dich ein Riesenkrake erwartet, weißt du ganz sicher!

Kein Problem! Ich werde meinen Ultraschall-Großfischvergrämer einschalten. Der hält alle größeren Meeresbewohner im Umkreis von zwei Meilen auf Abstand!
KLICK

Wie beruhigend! Dann kann ich einen Tauchgang wagen!
Ich begleite Sie! Das ist eine gute Gelegenheit, um meine selbst entwickelte Taucherausrüstung zu testen!

Und ich behalte hier oben die Dinge im Auge!
Gähn! Dann muss ich meine ja nicht offen halten und kann in Ruhe ein Nickerchen machen.

Ich hoffe, die Helm-Mikrofone funktionieren wie gedacht und Sie können mich gut hören!

Wir tauchen jetzt ab! Ich schlage mal zwei Steine gegeneinander, um zu testen, ob die Außenmikrofone des Anzugs ansprechen!
KLONK KLONK

Es wird immer heller! Man darf gespannt sein, woher das Glänzen rührt!

Aber... ich traue meinen Augen nicht!
Ich schon! Und mit Vergnügen!

Schauen Sie sich diese wunderbaren Perlen an! Da bleibt einem die Luft weg!

Urks!

Irre ich, oder hat das eben nach einem Problemchen geklungen?
Gut möglich! Weil Herrn Düsentriebs Ultraschall-Fischverscheucher seit eben futsch ist!

Wahrscheinlich ist ihm das Rütteln und Schütteln nicht bekommen! Und nun sind Donald und Herr Düsentrieb vielleicht in Gefahr! Wer weiß, was da unten vorgeht!

Gut gemacht, Oktopa! Halt die beiden schön fest!
Was war denn das? Doch nicht etwa...
...eine Meerjungfrau?

Du wolltest doch unbedingt eine sehen, nicht wahr? Bitte, hier ist deine Chance! Endlich passiert mal was Aufregendes!
Ups! Ich weiß nicht recht. Genau genommen ist gegen gepflegte Langeweile nichts einzuwenden!

Feigling! Dabei kann dir überhaupt nichts passieren, weil deine Glücksfee ihre schützende Hand über ihr Schoßkind hält!
So gesehen hast du recht, Daisy!
Zudem wird die Schaumgeborene aus den Tiefen der See bestimmt angetan sein von meinem natürlichen Charme! Nicht dass es mir um Aufmerksamkeit ginge, du verstehst schon.

Gib acht! Wir wissen nicht genau, was uns am Ende des Tunnels erwartet!

Noch mehr Eindringlinge? Schnapp sie dir, Oktopa!

Mein Name ist Wanda und ich mag keine ungebetenen Besucher! Deshalb sollt ihr nun das Tal der Schmerzen kennenlernen!

Dort werdet ihr tun, was ich euch zu tun heiße, bis ich Gnade finde für euch in meinem Herzen! Aber ich suche nicht extra.

Hört, was Wanda euch befiehlt: Gehet hin und bringt mir die größten Perlen, derer ihr ansichtig werdet!
Japs!

Ich glaube, wir machen uns besser sofort an die Arbeit! Vielleicht kann...

...ich ein paar Perlen abzwei... **eiei!**
Das Biest beißt!

Autsch!
Aua!
Uiui!

Versteht ihr nun, weshalb das Tal der Schmerzen seinen Namen führt, Eindringlinge?
Autsch!

Seufz! Es ist aussichtslos! Ich habe fünf wunde Finger an einer Hand und nicht eine Perle erhascht bisher!

Ich könnte eine Art Perlenpicker erfinden.
Sinnlose Liebesmüh, Herr Ingenieur! Diese Wanda wird uns nicht gehen lassen, egal wie viele Perlen wir ihr bringen!

Glaubst du nicht, dass das der richtige Zeitpunkt ist, um deinen umwerfenden natürlichen Charme zum Einsatz zu bringen, Gustav?
Ich habe noch nie versucht, etwas zu bezirzen, was auch auf den zweiten Blick noch als Fisch durchgehen würde.

Und was bitte soll das für eine „beeindruckende Vorstellung“ sein, Fremdling?

Ich werde dir beweisen, dass ich der größte Glückspilz aller Zeiten bin!

Da! Die Auster hat sich geöffnet! Schauen wir mal, was drin ist!

Na bitte! Zwei riesige Perlen mit einem kleinen Steinwurf!

Besonders beeindruckend ist das nicht. Wenn ich lange genug gesucht hätte, wäre ich irgendwann selbst auf diese Perlen gestoßen!
Aber...
Nanu? Was ist denn das?

Sieh einer an! Ein Goldnugget! Du musst zugeben, das ist jetzt wirklich beeindruckend!
Nicht für mich! Ich interessiere mich nur für Perlen!

Also hör auf, mich mit deinen Kindereien zu langweilen, und geh zurück zu den anderen Gefa... ach was?
!

Die Gefangenen sind geflohen! Und dein jämmerlicher Auftritt hatte keinen anderen Zweck, als mich abzulenken!

Nun, das lässt sich nicht mehr ändern! Aber dich werfe ich zur Strafe Austros, dem Allesverschlingenden, vor!
Was?

Ein Gefangener sollst du bleiben bis ans Ende der Ewigkeit!

FLUPP

MOMPF

Gustav ist in Gefahr! Wir müssen ihm irgendwie helfen!
Ächz!

Versteh mich nicht falsch, Daisy, aber braucht Gustav unsere Hilfe denn wirklich? Ich meine, am Ende wird ihn seine Glücksfee doch auf jeden Fall retten!
Ja, aber möglicherweise sind wir dieses Mal ihr Werkzeug! So gesehen kommt es gar nicht infrage, dass wir nichts unternehmen!

Leider hat der Krake den Ultraschall-Großfischvergrämer zerstört. Und wer weiß, was noch alles Schaden genommen hat. Ich muss die Jacht erst auf Herz und Nieren prüfen, bevor wir handeln können!
Hrmpf!

So viel Zeit haben wir nicht! Gustav braucht jetzt Hilfe, und die soll er bekommen! Wir tauchen ab in die Felsspalte!
KLACK!

Es ist genug Zeit verstrichen! Dein Werk ist vollbracht, Austros! Zeige mir, was du geschaffen hast!

So habe ich mir das gedacht!
!

Nein, wie furchtbar! Der arme Gustav!
Drei... zwei... eins...

Angedockt!
?

Wir haben ihn! Jetzt nichts wie weg hier!
PLOPP

HAPPS

Daisy! Der... der Wal...
Der Wal hat Gustav verschluckt... so ein Pech.

RUMPEL

Gut gemacht, Oktopa! Zeige den Endringlingen, was es bedeutet, Wandas Zorn zu erregen!

Ich versuche, die Jacht aus dem Griff des Kraken zu befreien, aber er ist zu stark!
Ach je! Dieser Blick! Man könnte denken, dass er genau mich meint!

Der Krake riecht wahrscheinlich den stinkigen Durianfruchtsaft, den du in dich hineingeschüttet hast!
Da fällt mir ein... Kraken haben tatsächlich einen ausgeprägten Geruchssinn!

Das würde erklären, warum uns das Tier in die Tiefe gezerrt hat! Es hat den Fruchtsaft gerochen, den Herr Duck aus allen Poren schwitzt!

So, die achtarmige Dame mag also Duriansaft?
Herr Düsentrieb, manövrieren Sie uns so nahe wie möglich an unsere fischige Freundin heran!
Wird gemacht!

Dieser Hochdruckbehälter ist bis zum Platzen voll mit dem Saft der Stinkfrucht!

Jetzt muss ich nur noch gut zielen...

...und im richtigen Moment das Ventil öffnen!

SPLOOSCH

Bei Neptuns Dreizack! Wie kannst du es wagen? Was ist das für ein ekelhaftes Gebräu?

?!

Wa-warum schaust du mich so an, Oktopa? Was immer du vorhast, lass es sein!

SCHLECK
Ungh!

Einige Stunden später...
Es ist entsetzlich! Während wir mit dem Kraken gerungen haben, ist der Wal mit Gustav verschwunden!

Typisch Gustav... mal wieder der ganz große Auftritt! Oder Abgang Aber wieso hat ihm denn seine Glücksfee nicht geholfen?
Vielleicht hat sie ja, und es ist ihm nichts geschehen!

Das denke ich auch! Sobald wir im Hafen sind, werde ich die Jacht wieder instand setzen, und wir machen uns auf die Suche nach Ihrem Herrn Vetter!

Nanu? Was ist denn das für ein Menschenauflauf dort an Land?

ETV-Nachrichten, live aus dem Hafen! Liebe Zuschauer, wir haben ja bereits in unserer Fünf-Uhr-Ausgabe über den Wal mit Schluckauf berichtet. Noch immer weiß man nicht, was dem armen Tier fehlt!

Hick! Hick!

Ptui!
KRACKS

Endlich frei! Mein Glück hat mich also doch nicht im Stich gelassen!
Aber...

Das war fantastisch! Können Sie unseren Zuschauern erzählen, wie Sie von einem Wal verschlungen wurden? Und weshalb Sie in einer Perle gefangen waren?

Wollen Sie das wirklich hören? Es ist eine lange Geschichte, in der ein riesiger Krake vorkommt, ein gewaltiger Schatz aus Perlen und das Tal der Schmerzen!
O ja! Bitte!
Das müssen Sie uns erzählen!

Pah, jetzt verstehe ich! Gustavs Glücksfee hat dieses Tamtam nur veranstaltet, damit er die Aufmerksamkeit bekommt, die er braucht wie die Luft zum Atmen!

Also gut, wenn Sie darauf bestehen! Dann will ich Ihnen in aller Bescheidenheit von meinem kleinen Abenteuer berichten!
Na ja, ich werde wohl lernen müssen, mit der Aufmerksamkeit zu leben, die mir zuteil wird.
ENDE

Created 2021

Carlo Panaro (Story), **Valerio Held** (Zeichnungen)

Letzthin ist es nämlich leider so, dass die Gäste immer mehr ausbleiben. Ich fange an, Verluste zu schreiben.
Woran liegt es denn?

Was weiß ich? Gäste, die nicht kommen, kann man nicht fragen, wieso sie wegbleiben! Ein wenig mag auch das neu aufgetauchte Gerücht damit zu tun haben.

KRAACKL
„Es besagt, ein Hexer habe den Gasthof einst in einer stürmischen Nacht mit einem Fluch belegt!“

Ein Hexer? Ach je!
Das ist natürlich nur abergläubischer Unfug, Donald!

Tatsache ist aber, dass ich jemanden brauche, der dem Gasthaus hilft, wieder die Gunst der Gäste zu gewinnen! Und diese Aufgabe übertrage ich...

...dir, Neffe! Als Mädchen für alles, sozusagen!
Das kannst du glattweg vergessen!

Ich habe nicht das geringste Interesse, mir eine Arbeit aufzuhalsen! Und am allerwenigsten für dich!
Grrr!

Hiergeblieben, du Faulpelz!
Uack!

Vergeude gefälligst nicht meine Zeit! Am Ende musst du doch klein beigeben, so wie immer!
Ich weiß! Aber das mit dem Hexer macht mir richtig Angst!

Wer eine Schuldenliste hat wie du, der sollte lieber seinen Gläubiger fürchten! Und der bin ich!

Lass dir gesagt sein, dass der Zweite, den ich dem Wohle meines Wirtshauses verpflichtet habe, sich weit weniger geziert hat. Gustav wird seinen Urlaub im Kleeblatt verbringen!
Der Glücksgockel? Und warum?

Eben weil er ein Gockel... Quatsch... ein Glückspilz ist! Ich hoffe, das färbt ab!
DD

Zudem macht es keinen guten Eindruck, wenn sämtliche Fremdenzimmer leerstehen. Die Leute kommen zu leicht auf den Gedanken, dass es dafür Gründe geben könnte.
Hrmpf.

Kurz und gut, ich soll mich also krummlegen, während Gustav sich einen faulen Lenz macht!
Genau. Und kein Wort weiter!

Ihr werdet morgen in aller Frühe gemeinsam aufbrechen!

„Und ich erwarte von euch beiden, dass das Kleeblatt bald wieder in aller Einträglichkeit erblüht, verstanden?"
Hier geht's zum Kleeblatt. Da fühle ich mich doch gleich wie zu Hause!
GASTHAUS ZUM KLEEBLATT
313

Ein etwas rustikales Zuhause, aber nicht ohne Charme.

Ich suche mir ein Zimmer aus, und du holst das Gepäck rein, wie es sich für ein Männchen für alles gehört! Hehe!
Stutzer!

Der regt mich auf. Und Aufregung auf leeren Magen bekommt mir nicht.

Na ja, viel gibt der Vorratsschrank nicht her. Aber besser als nichts ist es allemal!

Für einen Imbiss reicht es!

Aber ohne Wasser bleiben mir die Nudeln doch ein bisschen zu bissfest.

Bis ein Klempner ins Haus kommt, sind wir verhungert. Also an die Arbeit!

Hast du Probleme, Vetter?
SPROTZ

Sehe ich so aus?
!

Hier, nimm, damit kannst du dich abtrocknen.

He? Was ist denn das für ein schmieriger Fetzen? Das war Absicht!

Ups! Tut mir leid, Vetterherz! Da habe ich wohl versehentlich den Putzlappen erwischt!
Versehent-lich, ja.

Am liebsten würde ich ihm die Schillerlocken zerzausen! Aber dann hätte ich auch noch fettige Finger, wegen der Pomade.

HÄMMER
SCHRAUB

Na, immerhin! Ein Ärgernis wäre schon mal aus der Welt geschafft!

Zeit also für eine kleine Stärkung...
Respekt, Donald! Als Koch bist du ausnahmsweise einmal kein kompletter Versager!

Was schaust du?
Mich um! Und was ich sehe, gefällt mir nicht besonders, wenn ich ehrlich sein soll.

Die Wände sind kahl, und bei dem Mobiliar schläft man vor lauter Langeweile glatt mitten im Essen ein.

Das passt alles gar nicht so recht zu der farbenfrohen und lebendigen Umgebung!

Diesem Haus fehlt es an heiterer Ästhetik! Jawohl, so sage ich das, und ich weiß sogar, wovon ich rede!

Daher...
Gemälde? Die habe ich, jede Menge! Und Sie haben die Qual der Wahl!
KUNST UND KÜNSTLEREIBEDARF

Was sagen Sie zu diesem Werk? Dahinter west ein beachtliches Talent, finden Sie nicht?
T 800
So beachtlich wie der Preis!

Ich verstehe. Wie viel mögen Sie denn anlegen?
Nun ja, der Rahmen, den mein Onkel gesteckt hat, ist eher eng. Mehr als dreihundert Taler kann ich nicht ausgeben.

Aber das müsste doch für sechs oder sieben Bilder reichen, habe ich recht?
Ich sehe es Ihnen an, Sie meinen das ernst.

Drum will ich Ihnen zeigen, was Sie für Ihr Geld bekommen.
!

Weiße Lein-wände?
Genau! Zeigen Sie selbst Talent.

Kommst du mal, Donald? Ich glaube, meine Glücksfee hat was für dich!
?

Was sagst du dazu?
Nicht Nein! Das gefällt mir!

Was wollen Sie dafür haben, Maestro?
Vierzig Taler pro Bild! Und oft bekomme ich das auch.

Was halten Sie von dreihundert Talern für acht Gemälde?
Einver-standen!

Ich nehme die buntesten und fröhlichsten. Die sind wie gemalt für unseren Speisesaal.

Sei so nett und hilf mir tragen, Gust... ah? Wo steckst du denn?

Hier! Meine Glücksfee hat mir ein kostenloses Blubber-lutsch beschert.
Oh!

Und probier mal von den Keksen, Donald! Absolut köstlich!

Mjam! Ich muss dir ausnahmsweise recht geben. Die sind lecker!

Das bringt mich auf eine Idee, Gustav! Geh nicht weg!
Nicht solange noch Kekse übrig sind.

Gnädigste, ich schlage Ihnen ein Geschäft vor!

Was ich brauche, sind liebevoll verpackte Kekse aus Ihrer Konditorei für mein Gasthaus! Ich denke an eine tägliche Belieferung!

Vorausgesetzt natürlich, wir werden uns über die Konditionen einig! Was halten Sie davon?
Hmm...

Man verhandelt bis endlich...
Abgemacht!
Einverstanden!
Wenn Sie gleich eine Lieferung vorbereiten könnten? Ich hole sie dann später ab!
Ich mache mich sofort an die Arbeit!
Kaum wieder zurück im Gasthof, ist Donald erneut in der Küche zugange...
GASTHAUS ZUM KLEEBLATT
Das riecht königlich! Ich dachte immer, du kannst nur Karfoffelpuffer!
Du unterschätzt mich, Vetter!
„Ich habe den größten Teil meiner Kükentage in Omas Küche verbracht! Und irgendwann habe ich angefangen, ihre Rezepte aufzuschreiben!“

Hallo? Ist da jemand?
Sieh an! Unser erster Gast!

Ich hätte gerne ein Zimmer und eine warme Mahlzeit! Die darf gerne etwas üppiger sein!
Verstehe! Nehmen Sie bitte Platz!

Bitte sehr!

MAMPF
SCHMATZ
SCHLING

Herrlich! Ich habe lange nicht mehr so lecker gespeist!

Und zum Nachtisch ein kleines Geschenk des Hauses!
Oh, das ist aber aufmerksam von Ihnen!

Ich wollte eigentlich nur eine Nacht bleiben. Aber unter diesen Umständen werde ich ein paar Tage dranhängen!
Das freut mich!
Zwei Wochen gehen ins Land, und mittlerweile laufen die Geschäfte im Gasthof wie geschmiert...

Ich hoffe, es war alles zu Ihrer Zufriedenheit! Bitte beehren Sie uns bald wieder!
Verlassen Sie sich darauf!

Nun, wie steht es um mein Gasthaus, Neffe?
Bestens, Onkel Dagobert!

Wie du siehst, quillt die Kasse über, im wahrsten Sinne des Wortes!
Ooh!

Neffe, du machst deinen Onkel zu einem glücklichen Milliardär!

Gute Arbeit, das will ich dir gerne zugestehen! Auch wenn am Ende natürlich Gustavs Glück ausschlaggebend war für den Erfolg.

Gute Nachrichten, Onkel Dagobert! Und ausnahmsweise sogar in der Zeitung!

Fast hätte ich es überblättert. Aber schau selbst, ich denke, das betrifft dich auch!
Zeig her.

„Wie aus zuverlässiger Quelle verlautet, wird Ignaz Inschlupf, Rezensent und Webmaster der bekannten Vergleichsseite *Reisen & Richten*, morgen im Heitertal erwartet.“

„Er gedenkt dort allerlei Lokalitäten zu besuchen.“
Also wird er auch bei uns zu Gast sein. Aber das kann mich nicht schrecken!

Im Gegenteil! Ich rechne damit, dass Inschlupf das Kleeblatt lobt, und das zu Recht! Das wird die Leute in rauen Scharen in unser Lokal locken!

Du hast recht! Die Gäste sind mit uns mehr als nur zufrieden.

Und dank deiner Glücksfee wird es der Rezensent morgen auch sein!
Da muss ich dich enttäuschen, Onkel Dagobert.

Ich habe nämlich wieder eine Kreuzfahrt auf der ADIEU gewonnen. Morgen Nachmittag werde ich bereits an Bord erwartet.

Und deshalb muss ich morgen früh abreisen!
Was? Bevor dieser Inschlupf kommt?

Das kannst du uns nicht antun! Gewinne doch einfach nächste Woche wieder eine Kreuzfahrt!
Die ADIEU ist etwas Besonderes. Selbst für mich!

I-ich bringe es kaum über die Lippen, aber... i-ich bin bereit, dir zu einem anderen Zeitpunkt eine Kreuzfahrt auf der ADIEU zu finanzieren!

Das ist wirklich nett von dir, Onkel Dagobert, aber ich muss dein Angebot ablehnen!
Warum?

„Weil nur auf dieser einen Fahrt der ADIEU mein Lieblings-Rapper Kay-Nspazz an Bord ist und jeden Abend performt! Das will ich auf keinen Fall verpassen!"

Das musst du verstehen, Onkel Dagobert! So eine Gelegenheit kommt nie wieder!
Seufz!

Und am Morgen darauf...
Bis dann!

Ich gönne dem Jungen ja seinen Spaß, aber für mich ist es kein Vergnügen. Mit Gustav verlässt mich auch das Glück!
TÜDELÜÜ

Hallo? Ah, verstehe! Vielen Dank!

Man hat mir gerade mitgeteilt, dass Ignaz Inschlupf bereits im Heitertal eingetroffen ist!
Dann wird er auch bald hier sein.

Ich gehe besser, Donald. Dieses Lokal liegt mir am Herzen, weißt du. Darum mag ich seinem Verriss nicht beiwohnen müssen.
!

Am nächsten Tag...
Hallo, Onkel Dagobert! Ich möchte dir jemanden vorstellen.

Das ist Herr Ignaz Inschlupf, Rezensent und führender Verriss-Meister von „Reisen & Richten“!
Oha!

Ich will, Herr Duck, in aller Offenheit sagen, dass ich noch nie zuvor ein Lokal erlebt habe wie das Kleeblatt!
Ups! Also... ich...

Ist die Gaststube schon behaglich und von erfreulichem Geschmack, so erweist sich die häusliche Küche als Krönung eines rundum gelungenen Besuches! Ich konnte nicht umhin, Ihnen persönlich zu gratulieren!
Oh! Danke!

Nein. Die gute Glücksfee hebt den Fluch des bösen Hexers auf, so hast du doch gedacht, nicht wahr? Aber den Fluch gibt es nicht, der war nur ein Scherz der Dorfbewohner!

Und das, in aller Bescheidenheit bemerkt, hat das Kleeblatt beides allein von mir bekommen!
Tja. In der Tat.

Das muss ich dir zugestehen, Neffe! Nicht dass es an meiner grundlegenden Meinung über dich etwas ändern würde... aber dieses Mal warst du wirklich nicht der Nichtsnutz, als den ich dich kenne!

Zielstrebig und einfallsreich! Gelegentlich kannst du die Verwandtschaft mit mir eben doch nicht leugnen!
Hehe!

Trotzdem bin ich froh, dass ich die Sache hinter mir habe.
?

Was redest du denn da? Und wo willst du überhaupt hin?
Na-nach Hause!

Dein Lokal läuft wieder. Jetzt soll ein anderer dafür sorgen, dass es auch so bleibt.

„Nach all der schweißtreibenden Schufterei will ich die nächsten vier Wochen ungestört in meiner Hängematte verschaukeln.“

Schmink dir das ab, Neffe! Dank der überschwänglichen Rezension in „Reisen & Richten“ werden uns die Gäste rudelweise die Tür einrennen! Da brauche ich dich als Kofferträger, Kellner und nicht zuletzt natürlich als Koch!
Ächz! Alles auf Antang.
ENDE

Created 2017

Marco Gervasio (Story & Zeichnungen)

Und ich prophezeihe dir, dass du ihn auf dem Ball treffen wirst!
Du, man wird nicht hellsichtig, nur weil man sich als Hexe verkleidet.

Ich schon! Ich kann sogar in die Zukunft sehen!
So, so. Und was hält die meine für mich bereit?

Lucrezia, Großmeisterin der Magie, blickt in die Zukunft ihrer besten Freundin und sieht...
...einen Goldfisch? Stell dir vor, den sehe ich auch! Hehe!

Frechdachs. Nein, ich sehe... ein... Kostüm und eine Maske!
Kein Wunder! Wir gehen auf einen Maskenball!

Unterbrich mich nicht! Es ist kein gewöhnliches Kostüm wie all die anderen. Es ist etwas ganz Besonderes!
Und was ist an dieser Maskierung so besonders?

Es ist die Maske des Phantomias!
Haha! Kleiner hast du es wohl nicht gehabt?

Ich darf dich daran erinnern, dass dir der Sinn nach einem ganz besonderen Prinzen steht, ja?
Ja, schon! Aber was soll ich mit einer Fantasiefigur?

Wieso? Der berüchtigte maskierte Dieb ist sehr real!
Phantomias ist eine Erfindung der Polizei, um von ihrer Unfähigkeit abzulenken!

Aber sag, was siehst du in meiner Zukunft noch? Vielleicht etwas Aufregendes?
Ja, und wie! Ich sehe...

...dass du zu spät zu deinem Ballettunterricht kommen wirst!
Ach je, du hast recht! Ich muss mich sputen!
FAIR

Eilige Minuten später...
SCHWEBENDER SCHWAN
Tut mir leid! Ich habe mich ein wenig mit Lucrezia verplaudert!

Was höre ich? Du gibst dich noch immer mit dieser leichtlebigen Person ab?
Sie ist meine beste Freundin.
Dir will einfach nicht in den Kopf, dass die Grundlage allen Tanzes eine Disziplin ist, so unnachgiebig wie deine Schuhspitzen!
Meine Schuhspitzen sind bisweilen watteweich.

Das Ballett ist eine Schule des Willens und verlangt zudem Fähigkeiten, die nicht jedem Körper gegeben sind!

Du hast beides, Beweglichkeit und Willenskraft! Aber du gibst dir keine Mühe!
Eine Stunde mehr oder weniger fällt doch nicht ins Gewicht.

Kind, kann es denn sein, dass du es nach all den Jahren noch immer nicht begriffen hast? Tanz beginnt im Kopf, nicht in den Füßen!

Schau dir deine Schwester Margaret an und nimm sie dir zum Vorbild!
Vorbilder braucht nur, wer kein Bild von sich selbst hat.

Mit schlauen Reden allein wirst du deinen Traum nicht verwirklichen, eine Ballerina zu werden!

Das ist nicht mein Traum, sondern der deine, Mutter!

Teil 1
Walt Disney
Eine schicksalhafte Begegnung
Am selben Abend...
Verehrte Lady Detta, Sie haben mein Herz gestohlen!
Ein Fehlgriff offenbar. Ich war auf Ihre Brieftasche aus.

Hihi! Schäm dich, Detta! Du bist wirklich schlimm!
Ich kann diese aufgeblasenen Windbeutel nicht ausstehen.

Komm mit, wir schnappen ein bisschen frische Luft auf der Terrasse!

Wer ist denn diese einsame Gestalt?
Typisch! Die Männer werfen sich dir in Scharen zu Füßen, und du findest den Einzigen interessant, der dafür zu faul ist.

Vergiss ihn! Ein reicher Nichtsnutz, den unsere Kreise nur seines Namens wegen einladen.

Lass uns wieder hineingehen und tanzen!
Geh schon mal voraus. Ich komme gleich nach.

Du hast einen schreck-lichen Dickschädel, Schätzchen.
Immer gehabt.

Wissen Sie nicht, dass Kostüm und Maske heute Abend Plicht sind?
Gewiss. Was Sie an mir sehen, ist Maskerade, Mylady.

Ich bin nicht eben ein Liebling der besseren Gesellschaft. Ihre Frau Mutter würde unser Tête-à-Tête missbilligen.

Würden Sie mich näher kennen, wüssten Sie, dass das Grund genug wäre, um Ihnen nicht mehr von der Seite zu weichen.

Lady Detta, darf ich Sie an den Tanz erinnern, den Sie mir versprochen haben?

Wie Sie hören, Lord John, verwehrt man mir die Freiheit! Zurück ins Gefängnis der Konventionen!

Wir sehen uns wieder, Mylady. Schließlich sind wir beide in derselben Anstalt gefangen.

Entenhausen, sieben Jahre später. Ein Empfang in der Villa von Baron Brozfeld...
Lady Detta, Sie sind die schönste Frau der Welt!
Woher wissen Sie das, Baron Brozfeld? Kennen Sie alle Frauen der Welt?
Hüstel... n-nein...
Das nimmt dem Kompliment ein wenig den Glanz, wie?

Hehe! Du wirst dich niemals ändern, Detta von Duz!
Ich kann nichts dafür, Lu, es ist stärker als ich! Von den Komplimenten dieser Komiker kriege ich nur Kopfweh!

Du wartest noch immer darauf, dass dir dieser ganz besondere Mann begegnet, nicht wahr?
Natürlich! Wie es mir die große Magierin Lucrezia geweissagt hat!

Du hast aber nicht vergessen, dass die große Magierin eine kleine Scharlatanin war?
Und doch traf ich auf jenem Ball damals jemanden, der anders war als die anderen!

Immer noch dieser John Quackett? Ein Tagedieb ist der, ein träger, und gar nichts Besonderes. Das weiß doch jeder!
Sagst du!

Jedenfalls sind wir uns seit dem Ball seinerzeit nicht wieder begegnet.
Das wundert mich gar nicht! Der Mann meidet gesellschaftliche Anlässe, wo immer er kann!

Was ich verstehe. Ich ziehe mich für eine Weile auf die Terrasse zurück!
Und ich stürze mich kopfüber ins Getümmel!

Lucrezia und ich sind grundverschieden und dennoch beste Freundinnen!

Nanu? Ist da jemand im Salon?
Seltsam. Es sind doch alle unten, samt Personal.
POETER

Ich sehe mal nach. Ich bin viel zu neugierig, um Angst zu haben!
QUIETSCH

DONG DONG DONG DONG DONG
- - -
Tatsächlich besiegt die Neugierde die Angst zuverlässiger, als es der Mut jemals könnte, Mylady!

Du... du bist Phantomias!
Danke für den Hinweis, Gnädigste, und stets zu Diensten!

Was ist los mit dir, Detta? Warum läufst du nicht weg?
Keine Sorge! Sie haben nichts zu befürchten!

Du hast vor, die Juwelen des Barons zu entwenden?
Um der Wahrheit die Ehre zu geben, habe ich das bereits getan.

Und der Herr hat noch mehr davon. Jede Menge! Für ihn macht es keinen Unterschied...
Wohl aber für die armen Schlucker, denen ich den Erlös schenken werde!

Wobei ich ein bisschen davon auch behalte, als Lohn für meine Mühe.
Er wirkt überhaupt nicht bedrohlich. Nicht wie ein Ganove, den man ertappt hat.
Du bist ein ziemlich ungewöhnliches Exemplar von einem Dieb.

Ein Gentlemandieb, in der Tat! Wen ich bestehle, der darf sich glücklich schätzen, denn er hat mehr, als er braucht. Jedenfalls vorher gehabt. Hehe!

Im Ernst, ich verabscheue diese adligen Snobs, die auf jeden herabschauen, der nicht so ist wie sie!

Und ich bestrafe ihren Hochmut auf meine Art. Was mir durchaus Vergnügen bereitet, wie ich nicht verhehlen will.

Im Übrigen glaube ich, dass Sie genauso denken wie ich, oder täuscht mich mein Gespür?
Man könnte meinen, dass du mich schon länger kennst.

Wobei du irgendetwas an dir hast, was mich auch seltsam vertraut anmutet.

Detta, Liebe, wo steckst du denn? Komm tanzen!
!
Was nun? Eigentlich müsste ich lauthals Alarm schlagen! Aber...

Einen Augenblick, Lucrezia! Ich komme gleich runter!

Sehen wir uns wieder?
Unweigerlich. Schließlich sind wir beide in derselben Anstalt gefangen.

TUMP TUMP
Hörst du? Schritte! Da kommt jemand! Du musst fliehen!

Ah, nein! Doch nicht! Da ist kein...

...ah?

Und während Phantomias in den folgenden Wochen einen Coup an den anderen reiht...
PHANTOMIAS STIEHLT JUWELEN VON BARON BROZFELD!
ENTENHAUSENER BOTE
PHANTOMIAS SCHLÄGT WIEDER ZU!
WER VERBIRGT SICH HINTER DER MASKE?
KURIER
PHANTOMIAS RAUBT DEN RUBIN DES MAHARADSCHAS!
ENTENHAUSENER NACHRICHTEN
PHANTOMIAS ENTWENDET DIE WELTBERÜHMTEN DIAMOND DIAMANTEN
NEUES HUSAREN-STÜCK DES MASKIERTEN!
DORTEL DUCK VERMELDET DIE GEBURT VON ZWILLINGEN
...kehrt bei Detta von Duz der Alltag ein. Bis eines Morgens...
Was bringt die Post? Oh. Finanzier Gallwurz lädt zu einem Empfang ins Palais Gram!

Finanzier! Pah! Ein Aasgeier ist er und ein Wucherer! Da kriegen mich keine zehn Pferde hin!

Und die Zeitungen? Seufz.
Wie soll ich nicht an ihn denken, wenn er allgegenwärtig ist?
ENTENHAUSENER BOTE
TAGEBUCH

Ich frage mich an jedem Tag, ob ich ihn jemals wiedersehen werde.
ENTENHAUSENER BOTE
NO. LXN
ENTENHAUSEN SAMSTAG 08. MAI 1920
5 KREUZER
PHANTOMIAS NICHT AUFZUHALTEN!
EIN COUP JAGT DEN NÄCHSTEN!
KOMMISSAR PINKUS VERSICHERT, DASS ER DEN GENTELMANDIEB IN KÜRZE GEFASST HABEN WIRD!
DIEB, ABER GENTLEMAN!
ARMENHAUS ERHÄLT SPENDE DES UNBEKANNTEN MIT DER MASKE! EBENSO DAS FÄHNLEIN FIESELSCHWEIF!
Aber dann auch... ob ich ihn wirklich wiedersehen will?

Meine Mutter würde sagen, halte dich fern von ihm, der Mann ist ein Verbrecher!
Und dieses eine einzige Mal hätte sie vielleicht sogar recht.
TAGEBUCH

Lucrezia würde dasselbe sagen. Zu abseitig, zu weit weg von all den Normen, die ihre Welt berechenbar machen.
MASKENBALL

Aber ist nicht gerade er der „ganz besondere Prinz“, auf den ich immer gehofft habe?
Miau?
TAGEBUCH

Bei unserer Begegnung hatte ich keine Angst. Ich habe mich ihm näher gefühlt als jedem anderen Menschen zuvor. Näher sogar als...

Lucrezia?
Detta... ach, Detta! Seufz! Schnüff!
Miau!

Was ist denn passiert? Warum weinst du?
Schnüff!

Der Rote Fuchs! Schnüff! Er ist weg! Verloren für alle Zeiten! Das ist so grausam! Eine Katastrophe!
SCHNURR

Wie du ja weißt, ist der Anhänger ein Familienerbstück, das mir meine Mutter geschenkt hat!

Aber vor einigen Monaten musste ich ihn als Pfand hinterlegen für ein dringend notwendiges Darlehen von Graf Gallwurz!
!

Er hat horrende Zinsen verlangt, die ich schon nach kurzer Zeit nicht mehr bedienen konnte. Und so hat er das Schmuckstück behalten!
Was für ein gewissenloser Halsabschneider!

Selbst schuld. Es war dumm von mir, mich an ihn zu wenden. Nun kann ich nichts mehr machen.

Du nicht, nein. Aber ein anderer kann es sehr wohl!

Verrätst du mir, was du vorhast?
Sagen wir mal, ich habe meine Meinung geändert.
TAGEBUCH

Ich werde die Einladung zu dem Empfang heute Abend bei Graf Gallwurz annehmen!
EINLADUNG
Was plant Detta? Jetzt am...
Ende von Teil eins

Roberto Del Bove, Roberto Gagnor (Story), **Giampaolo Soldati** (Zeichnungen)

Es funktioniert auch mit Geld, Esspapier sozusagen!
Japs! Du bist wohl nicht mehr ganz bei Trost!

BONK
Au! Eines Tages wirst du meine verborgenen Talente zu schätzen wissen.
Das wage ich doch zu bezweifeln!

Warum ist mir das nicht früher eingefallen? Dieser Versager hat als Dagoberts Neffe leicht Zugang zum Geldspeicher...

Es wird nicht ganz einfach sein, ihn zu manipulieren, um an den Glückszehner zu kommen. Aber ich bin zuversichtlich, hehe!

Eines Tages werde ich ihn überzeugen! Mir kommt da auch schon die nächste Idee... ein gemixter Mixer! Ich weiß nicht, was das ist, aber es klingt pfiffig!

Huch! Sie... hier?

Hilfe! Gundel, die olle Hex... aah!
Umpf! Du kannst mir nicht entkommen!

Mein Perfektionszauber wird aus dir eine nahezu makellose Marionette machen, die Dagoberts Vertrauen gewinnen wird!
SWUSCH

Zu Ihren Diensten, Frau Gundel Gaukeley.
Das klingt schon besser! Und jetzt noch...

Das Duftelixier, das aus der Ferne wirkt und deine... Konkurrentin in Schwierigkeiten bringen wird!

„Sie kann ich nicht zu meiner Komplizin machen, da sie Dagobert gegenüber zu loyal ist."

„Aber ich werde sie... weniger effizient machen!"
Wie wird mir... plötzlich fühle ich mich so wirr im Kopf!

Etwas später...
Guten Tag, Herr Duck! Sind die Verträge für unser Geschäft fertig?
Alles in Astruskisch, Ihre seltene und ganz besondere Muttersprache übersetzt... wie Sie es gewünscht haben!

Herr Porri ist der König der Lauch-Snacks... und ein empfindlicher Perfektionist. Seien Sie also sehr behutsam!
S-sicher!

Argh! Ist das heiß!
Ups! Verzeihung!
SCHÜTT

Und dieser Vertrag ist voller Fehler. Das ist inakzeptabel!

Sie haben gerufen, meine Herren?
Dich sicher nicht, Neffe. Verschwinde, ich habe schon genug Ärger!

Verzeiht meinem Onkel! Er ist sehr nervös angesichts des wichtigen Geschäfts.

Sie sprechen meine Sprache sehr gut!
Und ebenfalls Ihre zweiundsiebzig Dialekte. Hehe!

Ihr Neffe ist mir ja ein Blitzgescheiter, Herr Duck! Ich werde sofort unterschreiben!
Huch... das freut mich aber!

Was ist los mit mir? Ich lerne diese Sprache seit Monaten, aber jetzt ist alles weg!

Werter Neffe! Wie es scheint, ist deine Verrücktheit doch zu etwas nütze.
Gib mir eine Chance und ich werde mich beweisen!

Von nun an wird Dussel Sie bei der Abwicklung der Verträge mit Porri unterstützen!
Aber... aber...

Ich habe Fräulein Rührigs Stellung geschwächt und Dussel im Geldspeicher erfolgreich infiltriert...

„Bald wird mein Komplize in Aktion treten können!“
Zweiundsiebzig Verträge in acht Minuten!
Unglaub-lich!
Bis gestern war er eine wandelnde Katastrophe und heute ist er ein vorbildlicher Mitarbeiter. Seltsam!
Gundel, hören Sie mich? Ich habe mir die Pläne des Speichers angesehen...
„...und fand einen Durchgang, der durch ein Lagerhaus zur Nummer eins führt!“
LAGERHAUS
NR. 1
„Der Raum hat einen Lüftungsschacht, der groß genug für unsere Zwecke ist und seltsamerweise keinen Anti-Hexenalarm hat.“
Die Sparwut des Geizhalses wird ihn nun teuer zu stehen kommen! Geh zu diesem Schacht und öffne ihn!
AB!

Da ist der Lüftungs-schacht!

Puff!
KRACH

Immer hereinspaziert, der Weg ist frei!
Hihi!

Ich hätte nie gedacht, dass ich das mal sagen würde, aber...

...hervorragende Arbeit, Dussel!
Sie sind Ihrem Ziel einen Schritt näher ge-kommen. Hehe!

Hmm... kein Alarm... auch keine Fallen!
Stimmt, aber dafür umso mehr...
Knoblauch! Onkel Dagobert scheint ihn sehr zu mögen.
Aaargh!
Knoblauch! Noch mehr Knoblauch! Knoblauch überall!
KNOBLAUCH
Uh? Ich wusste nicht, dass Sie so zimperlich sind.
Bei all den Lagerräumen musstest du mich ausgerechnet **hierher** führen?
Bevorzugen Sie anderes Gemüse?
Hexen hassen Knoblauch! Hilf mir raus, du Stümper!
Uff! Einen Augenblick!

BUMP
Ja, aber schieb nicht zu sta... **aaah!**

Geht es Ihnen besser? Frische Luft ist doch genau das, was Sie jetzt brauchen!
WUMMS

Dussel! Glaubst du, ich hätte dich nicht bemerkt?

Du hast Gundel an diesen gefährlichen Ort gelockt. Gute Arbeit, Dussel.
ABZUG GERUCHLOSER DÄMPFE
Oh... ich... ja!

Ich denke darüber nach, dein Gehalt von kostenlos auf doppelt kostenlos zu erhöhen!
Dussel wird immer merkwürdiger. Ich muss herausfinden, was los ist!

Ich verlasse das Gebäude inkognito.
WEG!

Ich mag es nicht, einen Kollegen auszu-spionieren, aber es muss sein!
DUSSEL

Hmm... entweder macht Dussel sauber oder das...

...ist das Transportmittel von... ich weiß schon wem!

!
Du hast alles vermasselt!
Das streite ich ab. Es ist Ihre Schuld und Ihre dummen Ängste!

Umpf! Weiter zum nächsten Plan... Du hast Zugang zu den Nervenzentren des Geldspeichers.

„Nervenzentren“? Autsch!
Den Kontrollräumen natürlich, du Trottel!
ZAPP

Einer von ihnen ist jener, von wo aus die Abwehrsysteme gesteuert werden! Du musst dort einbrechen...

...und die Knöpfe drücken, die den Einbruchalarm deaktivieren. In dieser Reihenfolge: blau, rosa, rot, orange und gelb.

Sie sind Verbündete, und sie werden wieder zuschlagen! Ich muss den Chef warnen!

Nach detaillierter Schilderung...
Sagen Sie nicht, Sie sind gekommen, um Dussel schlechtzureden, Fräulein Rührig.

Mein Neffe arbeitet gut... und umsonst! Sie hingegen sind seit einiger Zeit ziemlich stümperhaft und unzuverlässig!

Oder sind Sie etwa eifersüchtig?
Das ist zu viel! Sie verdienen es nicht, dass...

Ich habe die Teebeutel nach Verfallsdatum sortiert!
Umpf!

Sehr gut! Überprüfe nun die Alarmanlagen im Kontrollraum!
Aber sicher doch, Onkel!

KONTROLL-RAUM
Ich werde es mit meiner typischen Lockerheit und Präzision angehen!

Die Firewall ist durchbrochen... der Binärcode entschlüsselt... die Passwörter... geschafft!
TIPP TIPP

Und nun blau, rosa...

Moment! Diese Sequenz ist ein Schandfleck fürs Auge. Ein schönes Lila ist farblich relevanter und ästhetisch geschmackvoller.

Derweil...
Es ist so weit, ich kann es spüren!
DD

Gundel kann sich glücklich schätzen, einen Verbündeten wie mich zu haben!
KRAFTFELD
KLICK

KLONK
Uh? Dieses Geräusch...

Grrr... blau, rosa, rot, orange und gelb!
BRAZZZ

Hm, meiner Meinung nach gibt es noch elegantere und sicherlich wirkungsvollere Farbvarianten!

Autsch!
BONK
STOP!
AB!

Gundel! Aber wer hat den S.T.A.U.B.* aktiviert?
*Schlagkräftiger Tritt ausdrücklich unerwünschter Besucher.

Wie wäre es damit? Gelb, gelb und gelb?

Das war doch nicht so schwer! Blau, rosa, rot, orange und gelb!
GNIIEEK
HALT!

Huch?

RUMPEL
Aaargh! Die größte Knoblauch-zehe der Welt!

Eiskalt erwischt!
Schluck!

Ich habe alles gesehen! Sie sind...

...mein Held! Du hast dieser Hexe eine Lektion erteilt!
Uff! Danke!
PAFF

Das stimmt nicht! Er hat...
...den Geld-speicher vertei-digt!

Genau das, was Sie **nicht** getan haben, Fräulein Rührig!
Aber, ich...

Still! Oder ich ziehe Ihnen die Minuten, die Sie mit Streiten ver-bracht haben, vom Lohn ab.
Grrr, das ist doch...

Denken wir lieber an die Hexenangriffe! Gegenmaß-nahmen sind erforderlich. Ich werde „Sesam-öffne-dich 3000“ aktivieren!

Und so...
Du hast nicht nur versagt... Dank dir hat Dagobert ein neues Abwehrsystem aktiviert! **Argh!**

Stümper! Du hättest einfach nur meine Anweisungen befolgen müssen!
Es war nicht meine Schuld, dass die Farben nicht zusammenpassten!

Gut, dass ich einen Plan B habe! Der Sesam-Öffner 3000 wird aktiviert und deaktiviert, wenn Bertel, und zwar nur er, in die Hände klatscht.

Der Geizhals selbst wird ihn also deaktivieren!
Oh!
POFF

Ei. Ich erinnere mich an jemanden...
Stöhn!

Dann...
Umpf! Schnaub! Pah!

Ich gehe in den Klub der Milliardäre! Dort finde ich eine weniger verdrießliche Umgebung vor.
Schnaub!

Komisch... Dussel ist nicht pünktlich hier aufgetaucht.

Räusper... ich habe meinen Sonnenschirm vergessen.
?

Da ist sie! Und nun...

...ein Applaus an mich selbst!
KLATSCH

Der Hexen-alarm wurde deaktiviert!
Juchhuu!

Sie können jetzt rauskommen, Gundel!
Unglaublich, dass du es geschafft hast!
POFF

Und nun... uh?
Finger weg!

Mögen Sie Knoblauch? Ich habe da eine Ladung für Sie!

Sehr freundlich, aber ich passe. Dafür gibt es eine Ladung Magie für Sie!
N-nicht d-doch!

Ups!
KLICK
KLICK
KLICK

Geben Sie mir kurz Zeit zum Nachladen, ja?
Tut mir leid, aber das ist leider nicht möglich!

Denn jetzt bin ich dran, Sie Eiskönigin! Hehe!
ZIPP
KRACKS
Sie mag als Hexe gut sein, aber Humor ist nicht ihre Stärke!

Und nun...
...mein Triumph!

Wirklich sehr gut, Gundel!
KLATSCH
KLATSCH

Der Hexenalarm wurde reaktiviert!
Ups...

BUMM
Aaargh! Nichtsnutziger Dämlack!
BUMM
BUMM

Urks, der Knoblauch... lässt meinen Zauber... schwinden...

He! Jetzt erinnere ich mich wieder an alles.
POFF
Du bist wieder du selbst...

...das ist Strafe genug! Uffz!

Hab ich dich, mein kleiner Goldschatz!

Es ist also wahr... ihr seid Verbündete!

Pah! Dieser Narr stand nur unter meinem Bann.
Dafür stehe ich jetzt unter Strom, miese Hexe!

Aber sein Talent für Chaos übertrifft jede Magie. **Buhuuuh!**
Vielleicht liegt es auch an meinem genialen Verstand!

Ich werde dich in einen Rhododendron verwandeln!
Schluck!

Es ist so weit, Baptist!
Jawohl, Herr Duck!
HEXEN-NOTBREMSE
KLICK

Uack!
Wohin so eilig, du Nebelkrähe?
ZWOING

Hilfe!
Wie toll! Sie kann auch ohne Besen fliegen! Hehe!

Wie konnte ich nur an Ihnen zweifeln, Fräulein Rührig?
Ich nehme Ihre Entschuldigung an...
VRRR

...zusammen mit einer großzügigen Gehaltserhöhung!
Sagen wir, einen zusätzlichen freien Tag... alle paar Jahre.

Und du! Das nächste Mal passt du auf, bevor du dich verhexen lässt!
Pah! Gundel hatte doch von Anfang an keine Chance gegen einen klugen Kerl wie mich.

Genau. Du bist sogar so brillant, dass du hier überqualifiziert bist... Hopp, hopp! Du hast sicher anderes zu tun.
Aber ja! Ich habe da schon etwas im Sinn!

Puh, den sind wir los, vorerst.
Es ging ja alles noch mal gut aus!

Hmm... ich bin überrascht, dass er ohne Aufhebens gegangen ist.

„Wer weiß, was er wieder vorhat!"
Ich brauche unbedingt ein Exemplar „Entdecke den Magier in dir"! Dann sehen wir mal, wer wen das nächste Mal verzaubert!
KIOSK
Pfah! Dussel als Feind ist weit weniger gefährlich, als ihn zum Verbündeten zu haben.
ENDE

Created 2017

Marco Gervasio (Story & Zeichnungen)

In diesen ehrwürdigen Räumen können Sie Zeugnisse sehen der reichen Vergangenheit der Grafen von Gram!

Zählt dazu auch das Schmuckstück in Form eines Fuchskopfes?
?

Nein, Lady Detta, das habe ich zu der Sammlung hinzugefügt. Es war einst im Besitz einer säumigen Schuldnerin.

Meinen Sie nicht, dass den Reichen ein wenig Hilfsbereitschaft gegenüber den weniger Wohlhabenden gut zu Gesicht stünde?
!

Sie scherzen, meine Liebe! Menschenfreundlichkeit hat zu keiner Zeit als Grundlage für Reichtum getaugt.

Wäre ich Phantomias, könnte ich einem kleinen Einkaufsbummel durch Ihr Museum nicht widerstehen.
!

Hahaha! Haha!

Die Aussicht auf einen möglichen Einbruch sorgt bei Ihnen für Heiterkeit, Graf Gallwurz?

Weniger, Lord Quackett. Mich erheitert die Vorstellung, Sie könnten der berüchtigte Phantomias sein!

Wie auch immer. Nicht einmal der geheimnisvolle maskierte Dieb wäre in der Lage, in diese Räume einzudringen!
Warum sind Sie sich da so sicher?

Weil Fenster und Türen mit einem Alarmsystem versehen sind, das nur ich deaktivieren kann! Zudem gibt es eine Wache!

Hier kommt nur der herein, der den geheimen unterirdischen Tunnel kennt!
Was Sie nicht sagen. Worum handelt es sich dabei?

Nun, in einem Buch im Besitz der Staatsbibliothek, das die Geschichte dieses Palais erzählt, findet sich die Zeichnung eines Geheimganges, der von diesem Raum ins Freie führt!
ENTENHAUSEN
NEBEL BERGE
WEIHER
ZIEGEN-TAL
KÖNIGS-KLAMM
GROTTE DES DRACHEN
PARK
NORD-TURM
SILBER SCHLUCHT
EINHORN-FELS
PALAIS GRAM

Das ist in der Tat eine spannende Neuigkeit.

Allerdings hat nie jemand diesen Tunnel entdeckt! Die Grafen von Gram gaben das Geheimnis über Generationen weiter. Doch irgendwann ging das Wissen verloren, tja.

Ich selbst habe den Tunnel suchen lassen, nachdem ich dieses Objekt erstanden hatte. Doch leider vergebens!
Gibt es denn keinerlei Hinweise darauf?

Einen vielleicht. Doch der hat sich nicht ansatzweise als zielführend erwiesen. Er erscheint im Gegenteil sinnlos!
Dinge, die keinen Sinn ergeben, sind oft die interessantesten.

Eine Schrift in dieser Bibliothek besagt, dass sich Richard Quackett, der verrückte Graf, auch einst im Palais Gram aufgehalten hat.
RICHARD QUACKETT
PALAIS GRAM
FRANCIS DRAKE

Er musste sich vielerorts verstecken vor Sir Francis Drake. Doch als dieser auch hierherkam, wies Graf Gram seinem Freund Quackett den rettenden Weg durch den Tunnel!

Sonst steht da nichts?
Nur noch die folgenden Worte: „Palais Gram 2/3/10“!

2/3/10... sicher das Datum, an dem sich der Graf im Palais Gram aufhielt! Der 2. März 1610!
Klingt logisch!

Ist aber falsch! Weder Jahr noch Monat stimmen. Wie ich schon sagte, eine harte Nuss.

Warten Sie, ich hab's. Zwei plus drei macht fünf... noch mal so viel gibt zehn. Haha!

Machen Sie sich ruhig lustig! Aber tatsächlich glaube ich, dass niemand dieses Rätsel jemals lösen wird.

Niemand außer Phantomias!
Nun... genug der alten Geschichten! Begeben wir uns lieber zu Tisch, meine verehrten Freunde!

In jener Nacht, um drei Uhr in der Früh...
DONG
DONG
DONG

RUMPEL

QUIETSCH

Ein Dieb im Aufenthaltsraum der Wachen. Genau meine Art von Humor.

Leuchter, Wandteppiche, Statuen, alles nicht ohne Wert. Aber ich suche etwas anderes.
KLONK

Oh! Die Vitrine ist zerschlagen und das Schmuckstück... verschwunden!

TUMP
TUMP
Und da kommt jemand! Vielleicht hat mich die Wache am Eingang gehört.

RASCHEL
Am Ende werde ich noch für einen Diebstahl gefasst, den ich nicht begangen habe.

TUMP
TUMP
TUMP
Die Tür... jetzt tritt er ins Zimmer... noch ein paar Schritte und...

FRASCHL
!

Wir wundern uns aber schon ein wenig, dass wir uns immer auf diese Weise treffen, nicht wahr?

Haben Sie nicht selbst gesagt, und das zweimal, dass wir beide in derselben Anstalt gefangen sind?
Ja, damit habe ich mich verraten. Und absichtlich.

Aber der Dieb hier bin ich! Was macht die Beute also in Ihren Händen?

Der Rote Fuchs gehört eigentlich meiner Freundin Lucrezia. Und genau die soll ihn auch wiederbekommen.

Können wir uns darauf einigen, oder muss ich energisch werden?
Aber nein, es ist alles in Ordnung.

Ich wollte den Fuchs ohnehin für Sie stehlen, da ich bemerkte, dass er Ihnen etwas bedeutet.

Oh, das ist... reizend... doch... danke...
Sagen Sie, Lady Detta, wie sind Sie eigentlich hier hereingekommen, trotz der Alarmanlage und der Wache?
PALA

Ich habe das Palais nie verlassen, sondern mich nach dem Empfang in einer Besenkammer versteckt!

Damit hat keiner gerechnet. Alle vermuteten, Phantomias würde versuchen, von außen einzudringen.

Oha, das war dann allerdings der leichtere Teil des Plans.
So? Warum?

Wie haben Sie sich gedacht, nach erfolgtem Diebstahl wieder hinauszukommen, vorbei an der Wache, und ohne den Alarm auszulösen?

Durch den Gang, den ein gewisser Gentlemandieb entdecken würde. Als Graf Gallwurz davon erzählte, wusste ich, dass Phantomias die Herausforderung annehmen würde!
Gerissen, das gebe ich zu!

Sie haben mich also sozusagen als Fluchthelfer eingeplant! Aber was wäre gewesen, wenn ich das Rätsel nicht gelöst hätte?
Ein Rätsel, das Phantomias nicht lösen kann, muss erst noch ersonnen werden, nicht wahr?

Da muss ich Ihnen recht geben! In aller Bescheidenheit natürlich.
Jetzt mag ich es schon genau wissen...

Also gut... ich habe das besagte Buch aus der Bibliothek entwendet und den Lageplan darin genau studiert.

Dies, zusammen mit dem, was Graf Gallwurz bei seinem Empfang erzählte, hat mich am Ende zur Lösung des Rätsels geführt!
PACATS GRAM
2/3/10

Nur weiter, ich bin schon rasend gespannt!

Als Erstes bedarf es einer Leiter.

Und nun schauen Sie her...
PALAIS GRAM
?

PVLAIS GR
KNIRSCH
Zuerst stelle ich den Buchstaben A auf den Kopf.

Danach folgt das L.
KLACK

Und am Schluss der Buchstabe M.

Und nun einen Augenblick Gedu...
...ugh!
BONK
QUIETSCH
!

BDUMP
Aua?
KLONK

Alles noch heil?
Ja. Bis auf meinen Stolz.
Ich habe nicht bedacht, dass die Tür nach innen aufgeht.

Der zweite, der dritte und der zehnte Buchstabe. Also das A, das L und das M!

PALAIS GRAW

Ich verstehe schon. Aber wenn man von außen kommt...
GRAW

Folgen Sie mir!

Von hier aus ist die Schrift spiegelverkehrt. Man muss das Pferd also nur von hinten aufzäumen, sozusagen.
Genial!

Die Buchstaben drehen sich wieder in ihre Position, sobald sich der Durchgang schließt.
Diesen habe ich mit einem Stein blockiert.

Aber das Rätsel ist für mich noch nicht gelöst.
Fragen Sie! Ich erkläre für mein Leben gern!
Ja, das merkt man. Im Ernst... wer das mit den Zahlen versteht, weiß noch nicht, wo der äußere Tunnelzugang liegt!
BDUMM

Das stimmt! Aber an diesem Punkt hat mir der Lageplan geholfen, der in dem Buch verzeichnet ist, das ich aus der Staatsbibliothek gestohlen habe!

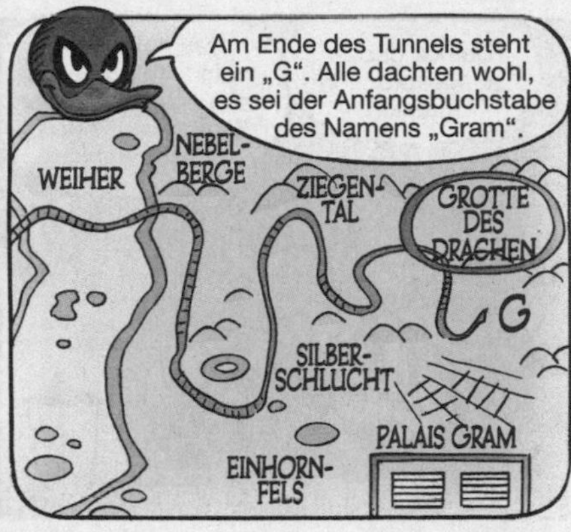
Am Ende des Tunnels steht ein „G“. Alle dachten wohl, es sei der Anfangsbuchstabe des Namens „Gram“.
WEIHER
NEBELBERGE
ZIEGENTAL
GROTTE DES DRACHEN
G
SILBERSCHLUCHT
PALAIS GRAM
EINHORNFELS

Das scheint mir doch eine naheliegende Erklärung.
Und ist somit zu verwerfen, wenn man ein Rätsel lösen will!
Ich habe mir die Namen der Orte rund um das Palais angesehen. Das „G“ steht nur für Grotte. Die Grotte des Drachen.
Erstaunlich, dass darauf noch nie zuvor jemand gekommen ist.

Brrr! Wie kühl es plötzlich ist. Und von den Wänden tropft das Wasser!
Ich vermute, wir sind gerade direkt unter dem Weiher.

Bitte nehmen Sie meinen Umhang, der hält Sie warm!

Danke, das ist ausgesprochen ritterlich.
Das hätten Sie wohl nicht erwartet, nach unserem ersten Zusammentreffen, nicht wahr?

Erinnern Sie sich? Sie haben mir vorgeworfen, ich sei der Einzige, der Ihnen keine Komplimente machen würde.

Ich war damals noch jung und bar jeder Erfahrung.
Aber Sie hatten recht.

Der Grund war, dass es kein Kompliment gibt, das in der Lage wäre, all das in Worte zu fassen, was Sie so besonders macht...

SCHMATZ

...was dich so besonders macht und zur perfekten Partnerin eines Phantomias! Könntest du dir das vorstellen?

Lebhaft! Immerhin sind wir gemeinsam in derselben Anstalt gefangen. Dann können wir auch versuchen, gemeinsam auszubrechen!
Hehe!

Also hat die große Magierin Lucrezia mir meine Zukunft doch richtig geweissagt!
?

Wenig später...
Geschafft! Wir sind am Ausgang!

Und das ist Darendorf Düsentrieb, der uns bereits erwartet!

Lady Detta! Endlich lerne ich Sie kennen. Sir John hat oft von Ihnen erzählt!
Auch ja? Und was hat er erzählt?

Dass Sie ein Engel sind und er Sie vergöttert, aber Angst hat, dass Sie seine Gefühle nicht erwidern!
Manchmal wünschte ich, es gäbe eine kleine Pille, die Leute vergessen lässt, was man ihnen erzählt hat!
SPRAZZL
Hehe!

Ich nehme an, Sie gehören jetzt auch zum Team, Lady Detta?
Richtig erkannt, mein Bester!

Aber wenn wir nun Partner sind, brauche ich einen Namen, der mehr hermacht als Lady Detta! Und ein entsprechendes Kostüm natürlich auch!
Ja, genau! Etwas, das zu meinem Auftritt als Phantomias passt!
VROOOMM

Lady Safran klingt gut, ist aber schon vergeben.
Herr Ingenieur!

Es muss etwas sein, bei dem sofort klar wird, dass Phantomias und ich zusammengehören!
Die Ladydiebin?
Nein.
ENTENHAUSEN 2 KM
Die maskierte Braut?
Herr Ingenieur!
VRROAM

Einige Nächte später...

DUCKLAS
FAIRBARKS
Der Rote Fuchs... Detta... meine Freundin... hilf mir...

Zzz... ups?
POCK

Wer... ist da jemand?

?
FAIRBARKS
KLICK
Sie müssen sich nicht fürchten, Lucrezia! Ich komme als Freundin!

Für ihn ist es nur ein beliebiges Schmuckstück wie viele andere. Aber Ihr Herz hängt daran, Sie sind die rechtmäßige Besitzerin!

Ich... ich weiß nicht, was ich sagen soll... vielen Dank!

Matteo Venerus (Story), **Marco Palazzi** (Zeichnungen)

...und zufriedene Langschläfer.
SCHNURCHL
GRZUNZ
Wenn man sie nur in Frieden ließe.
TÖTERÖÖÖ
Aaah! Was ist denn nun verkehrt? Geht die Welt unter?

Pah! Und wenn es so wäre, würdest du das eh verschlafen!
Wir treten an gegen die Lärmverschmutzung!
Nicht sehr erfolgreich... bei dem Lärm, den ihr macht!

Das sind wir nur, um deine Spendenbereitschaft zu wecken!
Vergesst es, Kinder...

Meine Taschen sind leer. Ich habe nichts!
DRING

Falsch, du hast jede Menge Schulden!
PING PING
Urk... ich weiß, was du vorhast.
Ich soll mal wieder die Kastanien für dich aus dem Feuer holen!
BÄNG
Bleib stehen, Neffe!
Du wirst einen Schatz für mich suchen! Bevor Klaas Klever ihn findet!
Hal Den Schatz kriegt der Knauser nicht.
Und wir haben auch ein Wörtchen mitzureden!
Ich suche nur eines... meine Ruhe!
POST

TIRILI
TIRILI
Das ist Daisy. Hach, ein nettes Wort von ihr wird mir guttun.
Hallo Donald, wie gut, dass ich dich erreiche! Du wirst nicht glauben, was Gitta am Wochenende angestellt hat! Hör zu, blabla...
Mehr als nur ein nettes Wort...
Zum Schluss musste alles in die Reinigung und... Oh! Mein Akku ist leer!
So leer wie meine Taschen.
Hoffen wir, dass Sie das hier trotzdem bezahlen können!
Huch! Was habe ich diesmal getan?
BUSSGELD
PLAFF
Sie führen Hunde aus, die viel zu groß für Sie sind! Wenn die losstürmen, was machen Sie dann?
Aber... das sind nicht meine Hunde!
WAFF
WAFF
WUFF
WAFF

Zwei weitere Doggen? Kein Problem, ich habe alles fest im Griff!
Grrr, ich auch! Und zwar den Bußgeldbescheid!
WAU WAU WAU

Ich brauche kein Diplom, um zu sehen, dass du Geldsorgen hast, Donald.
Geldsorgen? Wenn es nur das wäre!

Ich hätte da einen Job für dich... im Museum!
Arbeiten? Na schön, wenn's sein muss!

Im Kulturbereich zu arbeiten, war schon immer mein Traum!
Großartig! Wir sichten zunächst alles, was wir im Archiv haben...
ENT-6

„...und wir beginnen mit der Musikalien-sammlung!“
Ausgerechnet Musik...
MUSEUM
JAPS
SCHNAUF

...dabei wollte ich dem Lärm doch entkommen!

Nanu? Keine Tröten, nur Papier.

Das lässt sich aushalten! Papier ist ruhig...
KNIRKS
KRACKS

Ächz!
KRRRRAPOLTER

Das war's mit der Ruhe. Ich höre ein Vögelein tschilpen!
TSCHILP
TSCHILP

GAAAH!
Oje, das war Primus! Klingt nach einem Wutanfall.

TA
DAAAA
Nein, doch nicht... das war ein Freudenschrei! Er hat offenbar etwas entdeckt.

Wenig später...
Ich halluziniere schon von meiner Hängematte.
He, Beeilung!
GRUMMEL
HUST
GRUMPF
TICKETS

Verehrtes Publikum, heute möchte ich mich der Arbeit von Herrn Doktor Lauschler widmen...
Prof. Dr. Primus von Quack
KLATSCH
KLATSCH
KLATSCH

...der im 19. Jahrhundert einen sonderbaren Apparat erfunden hat!

Dieses Gerät hielten wir lange für eine der vielen Verschrobenheiten jener Zeit...

...doch neue Quellen belegen, dass es sich hierbei um ein Aufnahmegerät handelt!

Lauschler registrierte nämlich die rasante Entwicklung seiner Stadt. Und deshalb wollte er seine Eindrücke...

...für die Nachwelt festhalten!
Die Aufzeichnungen hätten die Jahre fast nicht überdauert.

Doch es ist mir gelungen, einige Tonspuren zu rekonstruieren! Hören und...

...sehen Sie selbst! Wir tauchen ein in die Vergangenheit Entenhausens!

Wir erleben einen Spaziergang durch die Straßen, quasi an der Seite von Doktor Lauschler.
KLICK

Um sich ein Bad zu bereiten, holte man früher Wasser vom Brunnen...
GLUCKS

KRÄMER
PLATSCH
„...und das klang so!"

KLIRR KLIRR
Vor dem Frühstück kam der Milchmann...

Schlüüürf!
„Für seine Mühe bekam er Limonade!"

Auch andere kamen ihrer Arbeit nach. Zum Beispiel der Hufschmied...
DENG
DENG

Auaaa!
Wihihi!
„Nicht immer traf der Hammer das Eisen!"

„Während die vollen Straßen die Gemüter der Kutscher erhitzten...“
„...spielten die Kinder Schatzsucher!“
Gooold!
„Lauschler lässt uns auch an einem richtigen Börsenkrach teihaben...“
BÖRSE
KRRACKS
„...und an der Verhinderung eines Überfalls!“
BONK
BONBON
BOHNEN
„Sie sehen, die Stadt war voller Leben und...“

Liebes Publikum, wir bitten Sie hiermit, selbst einige Geräusche aufzunehmen, die Ihnen wichtig erscheinen! Schicken Sie uns Ihre Klänge...

...damit wir gemeinsam dem vollendenten Puls Entenhausens lauschen können!
Tolle Idee!
Ich weiß gar nicht, was ich zuerst aufnehmen soll!

Wir schon, was, Brüder?
Ja, wir haben doch etwas Passendes im Museum gesehen...

Unsere Aufgabe ist klar, Daisy!
Ein Laut ist mir besonders wichtig...

...und ich meine, ihn gerade in dem mysteriösen Geräusch wiedererkannt zu haben!
Während sich die meisten Entenhausener fragen, was sich hinter dem unbekannten Ton verbergen könnte, denken andere, die Lösung bereits zu kennen...

In den nächsten Tagen sammelt man fleißig Klänge aller Art!
DUCKSOUND

Sowohl leise Geräusche...
KRITZEL KRITZEL

Während ich für Herrn Duck Termine vereinbare, zeichne ich gern ein wenig.

...als auch weniger leise Töne.
BLABLABLA

Gibt es etwas Schöneres als die eigene Rede?

Wieder andere genießen die Ruhe...
SCHNURCH
ZZZZ
WUSCH WUSCH

DRRING
Auf zur Arbeit, Herr Nachbar, hehe!
Kreisch!
Ich eile schon!

Seufz, da muss ich wohl zu Fuß gehen. Kein Problem...
SPOTZ
SPOTZ
313

...solange mich keiner aufhält... aah!
WERKSTATT
ZAHLEN!
SOFORT!

Hmpf, der fehlte mir gerade noch!
1° PREIS
JAUCHZ

Und der erst!
JUHUUUH

BLING
Keuch, nächstes Mal halte ich mein Nickerchen im Museum...
Vielleicht steckt dahinter ja was ganz Simples!
Möglich... aber ich komme einfach nicht drauf!

Vielleicht hat er aufgenommen, wie seine grauen Zellen arbeiten!
RATTER RATTER

Einen Versuch ist es wert! Ich speise den Ton in das Programm ein.
TIPPTIPP
TIPP

Hm... es gibt fast keine Übereinstimmung mit dem unbekannten Geräusch.

Es scheint unmöglich zu sein, es zu dechiffrieren!
Und wenn man...
17%

Wir glauben, dahinter steckt ein „Ssssch“. Lauschler hat die Stille aufgenommen!
Kinder, was macht ihr denn hier?

Hier im Museum gibt es...
...eine Tuba aus dem späten 19. Jahrhundert.

Es heißt, sie schlucke alle Geräusche in ihrer Nähe! Toll, oder?
Oh!

Vielleicht hat Doktor Lauschler die Tuba aufgenommen! Also... „Ssssch“.

Nein... der Ton stimmt nur zu 76 Prozent überein!
76%

Das ist doch schon mal was, haha!
Huch!

Wir arbeiten gerade an einem Projekt gegen Lärmverschmutzung und würden gerne mal ausprobieren...

...wie die Leute auf absolute Stille reagieren.
Dürfen wir uns die Tuba ausleihen? Wir passen auch gut darauf auf.
Nun...

Für Experimente bin ich immer zu haben. Nehmt sie euch, Kinder!
Danke!

Kommt, Brüder!
Das wird ein Ohrenschmaus!
Wir hören voneinander!
Sie werden vermutlich gar nichts hören...

Es ist „Ping“! Der Ton, wenn man beim Graben auf eine Schatztruhe trifft.
Was verschlägt dich denn in das Museum?

Ich habe recherchiert und herausgefunden, dass es in Entenhausen früher einen Rutengänger gab, der nach Gold gesucht hat.

Der unbekannte Ton könnte entstanden sein, als er endlich fündig geworden ist!
Sehen wir mal...
TIPP
TIPP

Tut mir leid, „Ping“ hat nur 84 Prozent Übereinstimmung.
84%

Das ist doch gar nicht so übel! Leihst du mir die Rute, Primus?
Uff, hier geht es ja zu wie im Taubenschlag, finden Sie nicht au...
84%

Tirili! Versuchen Sie mal „Bumm-di-bumm“! So klingt der Herzschlag der Liebe.
Ächz!

Unsinn! Versuchen Sie es lieber mit „Waff“, der Sprache der Hunde!
Oje!

Eine haltlose Vermutung! Wir wissen, dass es damals eine Wahrsagerin gab, die verwandte Seelen finden konnte!

Tsk! Und ich habe gehört, hier lebte ein Kynologe, der mit Hunden sprechen konnte!

Aber meine Damen! Nur einer der Vorschläge kann richtig sein...
TIPP

91% 91,5%
Oder keiner. Aber das ist Ihnen allen sicher egal...
Richtig! Wir bleiben auf der Spur der Wahrsagerin!
Ich prophezeie große Geschäfte!

Und ich lese die Aufzeichnungen des Hundeflüsterers!
Was haben die nur alle?

Sie projizieren ihre eigenen Wünsche in den Ton und hören nur, was sie hören wollen!

Das können wir ihnen nicht übel nehmen!
Trotzdem bleibt dieses Geräusch ein Rätsel...

Bei all diesen neuen Krachmachern und ihrer Suche nach dem Geräusch hoffe ich...

„...dass sie mir meine Ruhe lassen!“
Gähn! Ich finde, ein Schläfchen kann nicht schaden...

Wenigstens verschonen mich heute die Leute mit ihrem Lärm!

Alle sind unterwegs, um den Klang des Tages einzufangen.

Jeder auf seine Art.
Die Tonschlucker-Tuba wird heute der Hingucker!
Die Leute werden verstehen, wie wichtig die Stille ist.

Mit der Rute des Goldsuchers finde ich den Schatz im Nu!
Finde ihn nur, das Grundstück gehört mir!
ABFALL
Und wir helfen gerne beim Abtransport, hehe!

Die Liebe ruft! Erfahren Sie alles über Ihren Traumpartner!
Für zwei Taler verraten wir Ihnen, wer Ihre Zwillingsseele ist.
ZWILLINGSSEELEN

Aha... möchte der Hund einen Knochen haben, macht er „Wuff wu-huff"!
OFFEN

Schluck! Viel hat sich in Entenhausen nicht geändert. Die Leute sind heute noch genauso schräg wie damals!

Ob es früher wohl auch einen wie mich gegeben hat? Einen, der nur schlafen will?

Augenblick! Das ist...
BLITZ

„...die Idee!“
Gratuliere, Herr Duck! Ihr Ton bringt 100 Prozent Übereinstimmung!
100%

Das hier sind übrigens die Ohrstöpsel von Dösbert Duck! Er teilte offenbar deine Leidenschaft!

Dann hat er also den Laut erzeugt.
Genauso ist es!

DUCKSOUND
Und zwar mit einem einfachen „Ratzepüh".
Das ist Donalds Lieblingsgeräusch!
KLATSCH
KLATSCH
Bravo!
KLATSCH
KLATSCH
Super!
KLATSCH
Aber jetzt haben wir genug Geräusche von damals gehört! Genießen wir nun die Klänge des modernen Entenhausens!
Wir alle erleben die Stadt auf eine eigene Art. Wenn Sie die Augen schließen...
...können Sie dem Alltag Ihrer Mitmenschen lauschen!
CCCCHHRRRR

KIKERI-KIII
GÄÄHN
PÖTT
PÖTT
GANSDORF
20 KM

STRAMPEL
KEUCH
JAPS
PFEIF
BLUBB

KLACKER
BLITZ
RÄUSPER
BRITZEL
Herr Wichtigtu

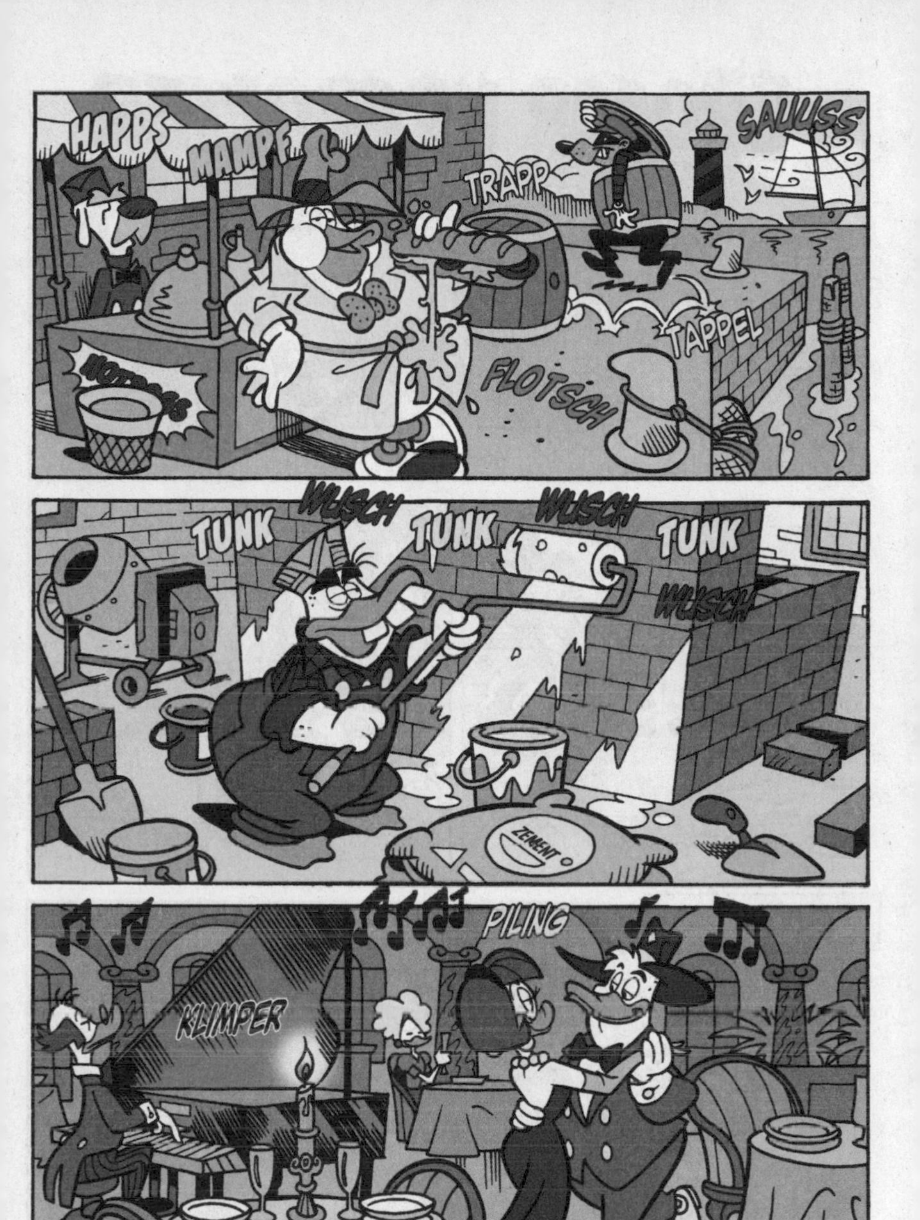
HAPPS
MAMPF
TRAPP
SAUUSS
FLOTSCH
TAPPEL
TUNK
WUSCH
TUNK
WUSCH
TUNK
WUSCH
ZEMENT
PILING
KLIMPER

GROAAR KRAPOLTER
Huch! Was war das?

So klingt das Chaos, das die Streiche meiner Neffen erzeugen...

Auf Geräusche dieser Art folgt, dass ich...

„...etwas in Ordnung bringen muss!“
Das war wohl nichts, Brüder! Diese Tuba ist absolut nicht tonlos.

Hmpf, da sucht man einen Schatz und findet nur Streithähne!
176-761

Beruhigen Sie sich doch!
NGSSEELEN
Keine Liebe ohne Tränen! Man kennt's...

Da spreche ich nun hündisch, und die Tiere stellen sich trotzdem taub!

Also, lieber Onkel...
Mein Neffe...
Mein Liebster...
Mein Freund...
Bitte, Herr Duck...
Schon gut! Ich weiß ja, was ihr von mir wollt. Ein friedliches Geräusch!
Wenigstens kann ich dabei in Ruhe schlafen. Gähn...
SCHNURCHL
PÜÜÜH
HAHA
HAHA
HAHA
HAHA
HAHA
HAHA
HAHA
HAHA
HAHA
HAHA
HAHA
HAHA
Wie herrlich! Ganz Entenhausen ist im Einklang!
ENDE

Marco Bosco (Story), **Marco Mazzarello** (Zeichnungen)

Und wie gefällt dir die Fahrt mit der alten Berg-bahn?
Wunderbar! Romantischer kann man gar nicht reisen.
Verehrte Fahrgäste! In wenigen Minuten sind wir in Dösbrunn.
Prima! Wir freuen uns schon.

Toll! Die haben sogar ein Begrüßungskomitee auf die Beine gestellt.
Vielleicht, weil wir die einzigen Passagiere der Dösbrunner Berg-bahn sind.
DÖS-BRUNN
PSSSSSCH

*Leute, die Aufnahmen von Zügen machen, sie sammeln und archivieren.

Dann fotografieren wir die Züge, notieren wichtige Details und Erkennungsmerkmale...
Wie die Marke, Baureihe und technische Daten. Das Material archivieren wir und tauschen uns darüber aus.
Ein netter Zeitvertreib. Das muss man Ihnen lassen.

Na, dann... weiterhin viel Erfolg!
Danke! Ihnen auch ein paar schöne Tage.
Ich habe ein wenig Hunger. Gehen wir einen Happen essen?
Aber nur etwas Leichtes. Ein voller Magen wandert nicht gern...
„...und wir wollen doch noch den Lichtenkogel hinaufkraxeln.“
Keuch! Wann sind wir denn oben? Ich habe keine Puste mehr und mein Magen drückt.
Selbst schuld! Immerhin hast du vorhin zwei Portionen Kartoffelbrei mit extra viel Soße verdrückt.

Uff! Der Gipfel... endlich!

Jetzt können wir uns eine ausgiebige Rast gönnen.
Nur zu gern. Ich finde, der Aufstieg hat sich echt gelohnt.

Das sehen andere wohl auch so. Aber wie man hier ohne jeglichen Komfort zelten kann, ist mir schleierhaft.
Außerdem fegen gern kalte Winde über solche Lichtungen. Deshalb schlafen wir auch im Hotel.

Ich glaube, so ein Lüftchen kommt gerade auf.
Das ist der Nordwind. Zieh dir besser eine... **oh!**

Einer der Camper hat seine Uhr verloren.
Ich fürchte, die ist kaputt. Das Glas ist zerbrochen.

Sie ist heute um 12:40 Uhr stehen geblieben.
19.7.

Das heißt, etwa vor vier Stunden.
Ui, sieh dir mal das Zelt genauer an, Micky.

Offenbar sind die Stangen im hinteren Teil des Zelts eingeknickt.
Hm... das Lager sieht aus, als wäre es überstürzt verlassen worden. Womöglich hat es sogar einen Kampf gegeben.

Und der Bewohner des zweiten Zelts hat auch alles zurückgelassen.
Richtig! Mir gefällt das Ganze nicht.

Sollten wir nicht besser die Polizei verständigen?
Bin schon dabei.

Kurz darauf...
Es handelt sich um Erwin Erzle und Kurt Krume, die gestern von Dösbrunn aufgebrochen sind.
Dann haben sie die letzte Nacht bereits hier verbracht. Was wissen Sie noch?
POLIZEI

Dass sie sich vermutlich nicht kannten. Erzle kommt von hier, Krume ist ein Tourist.

Erwin Erzle hat heute Morgen noch mit einigen Bergbewohnern gesprochen.
Die beiden sind offenbar erst seit dem Mittag fort.

Ich habe dahinten frische Reifenspuren eines Geländewagens entdeckt.
Sehr gut, Edna! Sichere bitte die Spuren. Ich verständige inzwischen die Bergrettung.

Haben Sie sich schon in Erwins Zelt umgesehen, Herr Maus?
Nein, Sheriff. Das überlasse ich lieber Ihnen.

Hm... da ist nichts, außer einem Blatt Papier.

„Dafür wirst du bezahlen!“ Für mich klingt das nach einer Drohung, finden Sie nicht?
Offenbar hat Erwin Erzle Feinde. Und die haben vermutlich auch mit seinem Verschwinden zu tun.

Woraus zu folgern ist, dass wir uns an einem Tatort befinden.
Das sehe ich auch so... Würden Sie mir...

...vielleicht helfen, Herr Maus? Ich weiß, wer Sie sind. Kommissar Hunter und ich kennen uns gut. Er hält wirklich große Stücke auf Sie!
Verstehe, aber... Also, um ehrlich zu sein...

Für gewöhnlich passieren hier solche Dinge nicht. Daher habe ich kaum Übung im Lösen kniffliger Fälle.
Dann musst du Sheriff Sorglich unbedingt helfen.
Hm... du hast recht, Minnie. Zudem würde es mir eh keine Ruhe lassen, wenn ich es nicht täte.

Also, wie wollen Sie vorgehen?
Erst einmal stelle ich einen Suchtrupp aus Freiwilligen zusammen.

Die sollen den Lichtenkogel gründlich nach den beiden absuchen.

Am folgenden Morgen...
Die Suche dauert an, bisher aber leider ohne Erfolg. Wir haben nicht einmal eine Spur.
Deshalb sollten Sie auch versuchen herauszufinden, was es mit der Drohung auf sich hat.
POLIZEI DÖSBRUNN

Wenn unsere Vermutungen stimmen, wurde Erwin Erzle entführt.
Und Kurt Krume auch, damit es keinen Zeugen gibt.

Was wissen Sie über Erwin Erzle?
Er ist Geologe. Ein netter Mensch, der von allen gemocht wird.

Oder besser gesagt, von fast allen. Wenn ich so darüber nachdenke, hat er drei Feinde.
Aha! Wie kann man denn einem Geologen feindlich gesinnt sein?

Erwin hat unermüdlich versucht, den Bau einer Hotelanlage zu verhindern, die drei lokale Unternehmer...

„...auf dem Lichtenkogel errichten wollen. Dadurch würde zwar die Gegend verschandelt...“

...aber die drei könnten satte Gewinne einstreichen. Soweit ich weiß, stehen Erwins Chancen gar nicht mal so schlecht.
Womit wir doch das Motiv hätten. Erwin wäre nicht der Erste, den man so gefügig machen will.

Was hat Erzle denn gegen den Hotelbau bereits unternommen?
Er hat recht erfolgreich versucht, die Dösbrunner mittels...

„...Vorträgen und dem Verteilen von Infomaterial auf seine Seite zu ziehen."
BÜCHEREI
HEUTE: RETTET DEN LICHTENKOGEL

Das gefiel den Unternehmern natürlich gar nicht.
Kann ich mir vorstellen.

Vielleicht sollten wir mal mit denen reden.
Fangen wir mit Ricki Racke an. Ihm gehört das große Sägewerk.

RICKI RACKE
Ich soll Erwin entführt haben, damit er uns bei unserem Projekt nicht mehr im Wege steht?
Könnte doch sein, wo jeder weiß, dass du ihn noch nie leiden konntest.

Wo waren Sie gestern um die Mittags-zeit?
Ich war hier und habe geschuftet. Dafür gibt es Zeugen.

He, Balko! Was habe ich gestern ge-macht?
Von morgens bis abends Baum-stämme zersägt.

Zufrieden? Dann auf Wiedersehen. Da wartet noch jede Menge Arbeit auf mich.
Okay! Aber bleib in der Gegend. Es kann sein, dass wir dich noch mal befragen müssen.

Einen Zeugen hat er, aber wie glaubwürdig ist der?
Gar nicht! Wer verrät schon seinen Chef?
SÄGEWERK
RICKI RACKE

Wer ist der Zweite auf der Liste?
Horst Hatsnich, Inhaber des Supermarkts...

„...und einiger anderer Läden."
Dann warst du gestern den ganzen Tag bei der Einweihung deiner neuen Bäckerei?
Genau! Ich habe das Band durchgeschnitten und Kuchen verteilt. Da kannst du jeden fragen.

Danke! Fürs Erste war es das.
Sehr wohl.

Ich hoffe, ihr findet Erwin gesund und munter wieder.
Das hoffen wir auch. Auf Wiedersehen!

HATSNICH
SUPERMARKT
Das Alibi dürfte wasserdicht sein. Trotzdem gefällt mir der Kerl nicht. Das war doch alles geheuchelt.
Möglich. Allerdings kann er wirklich nicht der Entführer sein.
POLIZEI

Aber durchaus sein Komplize.
Stimmt! Und das gilt auch für Racke.

Wohin gehen Sie denn? Der Wagen steht doch da!
Ich weiß, aber wir brauchen kein Auto.

Elmar Elch, der Dritte im Bunde, hat nicht nur sein Büro in diesem Haus, er wohnt auch dort.
E. ELCH
IMMOBILIEN
VERSICHERUNG
E. ELCH
Immobilienmakler und Versicherer. Offenbar ein Geschäftsmann, der nichts dem Zufall überlässt.

Ich habe davon gehört. Aber was habe ich damit zu tun? Wie kannst du es wagen zu denken, ich...
Was ich denke, ist meine Sache. Beantworte einfach nur unsere Fragen, Elmar!

Wo warst du gestern zwischen zwölf und zwei Uhr?
Ich war den ganzen Tag im Haus.

Das heißt... bis auf den Spaziergang nach dem Mittagessen.
Aha! Waren Sie im Dorf oder in den Bergen unterwegs?

Ich war am Bahnhof und habe den Zug ankommen sehen.
Gibt es jemanden, der das bestätigen kann?

Könnte sein... keine Ahnung.
Das finden wir heraus. Halte dich bis dahin zu unserer Verfügung.

Wie sollen wir herausfinden, ob er die Wahrheit gesagt hat?
Er muss dort gewesen sein, als wir ankamen...

...und jede Menge Trainspotter Fotos gemacht haben!
Richtig!

Reden Sie etwa von diesen kuriosen Gestalten, die herumlungern und auf Züge warten?
Jawohl, Sheriff! Und wie alle Fans machen auch sie Fotos von den Objekten ihrer Bewunderung.
E. ELCH IMMOBILIEN VERSICHERUNG
BAHNHOF

Wenn Elmar Elch also wirklich da war...
...könnte er fotografiert worden sein.

Fahren wir zum Hotel. Dort logieren die ganzen Trainspotter.
Wie fast alle Touristen.
VROOOOM

Mittelgroß, blonde Haare und ein großer Schnurr- bart?
Nein! Auf meinem Video ist er nicht.
Ich habe ihn auch nicht foto- grafiert.
HOTEL SONNENBLICK

Ich leider auch nicht.
Nun, da kann man wohl nichts machen. Vielen Dank für Ihre Hilfe.

Warten Sie! Ich glaube, ich habe ihn doch.
Ach? Zeigen Sie mal.

Die Gestalt, die hinter dem Kohlenkasten hervorkommt, das könnte er doch sein.
Ja, das ist Elmar! Können Sie den Ausschnitt ver- größern, ohne dass er unscharf wird?

Ja! Das ist er, ganz ohne jeden Zweifel.

Wann haben Sie das Foto gemacht?
Als der Zug einfuhr. Das war gegen 12:30 Uhr.

HOTEL SONNENBLICK
Das bedeutet, zwei sichere Alibis und ein fragwürdiges.
Trotzdem könnten alle drei hinter der Entführung stecken.
Klar, aber das müssen wir ihnen erst mal nachweisen.

Was ist eigentlich mit den Reifenspuren?
Die nimmt sich Edna gerade vor.

Langsam müsste sie ein Ergebnis haben. Fahren wir ins Büro.

Da sind wir wieder. Hat deine magische Kiste schon etwas ausgespuckt?
Sie setzt gerade die letzten Teile zusammen. Es wird nicht mehr lange dauern.

Edna hat in der Stadt einen Spezialcomputerkursus belegt.
Ja, sie ist echt auf Zack!

Das Programm kenne ich. Die Polizei in Entenhausen verwendet es auch.
Na, bitte! Es hat aus den Spuren, die ich auf dem Kogel fotografiert habe...

...eine dreidimensionale Abbildung des Reifens erstellt.

Und da kommt auch schon die Antwort!
Los, spanne uns nicht weiter auf die Folter!

Dieser Reifentyp ist nur für den Geländewagen „Range Mauser VX“ zugelassen.
Ha! Und den besitzt in Dösbrunn nur einer: Ricki Racke!
Gut, aber wir wissen nicht, ob es auch seiner war.
RM-VX

Was, wenn das Auto eines Touristen die Spuren hinterlassen hat?
Keine Sorge! Das lässt sich herausfinden.

Und wie?
Dank der serienmäßig eingebauten Ortungssoftware.

Und da wir einer möglichen Straftat nachgehen, sind wir berechtigt, darauf zuzugreifen.
Dann können wir also feststellen, wo der Wagen von Racke zur Tatzeit war? Das ist ja super!
POLIZEI DÖSBRUNN
KRÄM
Ist Ricki Racke wirklich der Schuldige? Minnie und Micky sind dem Geheimnis dicht auf der Spur...
Ende des ersten Teils

Alessandro Sisti, Giorgio Simeoni (Story), **Federico Franzò** (Zeichnungen)

Endlich muss ich nicht mehr stundenlang wie wild herumkramen, wenn ich... Oh?
DING DONG

Professor Kwanten! Was verschafft mir die Ehre?
Ich möchte Sie um einen klitzekleinen Gefallen bitten, werter Kollege!

Sind Sie sicher? Sie meinen doch sonst, die Weisheit für sich gepachtet zu haben!
Wo Sie recht haben, haben Sie recht! Aber dieses Anliegen liegt fern meiner Kompetenzen!
Tatsächlich? Um was geht es denn?

Um ein Wort, Verehrteste! Als Sprachexperte sondergleichen weiß Primus stets Rat in linguistischen Notfällen dieser Art!

Wie würden Sie einen aufgeblasenen, sturen Schlauberger nennen, der nichts auf die Reihe bekommt?
Zweifelsohne **Hornoxius**!

Dieser Begriff geht auf die alten Griechen zurück, die damit... blablabla...
Prima! Danke vielmals! Das war dann auch schon alles!

Ich habe nur dieses eine Wört-chen gesucht!
Hm... wofür eigentlich?

Ach, ich brauche es lediglich für eine neue Studie! Hehe!
Mir war nicht bewusst, dass Sie sich neuerdings mit der Physik egozentrischer Daseinsformen beschäftigen.

Ich freue mich, wenn ich zum Fortschritt der Wis-senschaft beitra-gen kann!
Gewiss! Und niemand kann das besser als du, Primus!

Zurück zur Arbeit! Welche Abschlüsse kommen unter den Buchstaben H?
Natürlich meine „Honoris causa". Auf diese Ehrendoktortitel bin ich besonders stolz!
F
H

Mir sind glatt die eingerahmten Hochschuldiplome in meinem Arbeitszimmer an der Universität entfallen!

Das ist nicht schlimm! Ich habe heute nichts weiter vor!

Doktor Füsik! Das freut mich! Wie kann ich Ihnen behilflich sein?
Mit einer Sprachberatung!

Wie würden Sie einen großspurigen, verwirrten Fachidioten bezeichnen, der nichts als heiße Luft von sich gibt?
Hm... das ist eindeutig ein **Figurus Witzus**! Warum fragen Sie?

Ich brauche dieses Wort in einer kleinen Abhandlung!
ZOOM
KLICK
Oh! Sieh mal einer an! Da ist ja der Hornoxius!

Das kommt mir spanisch vor! Professor Kwanten ist Physiker genau wie Doktor Füsik!

Seit wann bedienen sie sich solch derber Begriffe in ihren wissenschaft-lichen Arbeiten?
Ich kann es dir sagen, Primus!

Bist du ab und zu auf Duckstagram?
I wo! Für so etwas hat ein Akademiker doch weder Zeit noch Muße!

Ach ja? Deine geschätzten Kollegen aber offensichtlich schon!
HORNOXIUS
Wie bitte?

Und schau hier! Doktor Füsik setzt direkt zum Gegenschlag an!
Argh! Das ist völlig inakzeptabel!
FIGURUS WITZUS

Entschuldige! Ich muss diesen geistigen Tieffliegern eine Lektion erteilen!

Primus! Ich habe gehofft, Sie hier zu treffen! Sie kennen sicher den passenden Terminus für...
Ja! Den kann ich Ihnen direkt verraten: **Streithammel!**

Wie? Aber nein, das trifft es nicht!
Da täuschen Sie sich aber gewaltig! Das passt wie die Faust aufs Auge!

Denn die Rede ist von Ihnen und Doktor Füsik! Sie sind nämlich die Streithammel!
O nein! Er weiß Bescheid! Schluck!

Bei Meinungsverschiedenheiten sollten Sie lieber einander zuhören, anstatt sich im Entnet gegenseitig zu verhöhnen!
Dem stimme ich zu! Professor von Quack hat recht!

Pah! So schnell werden aus zwei renommierten Wissenschaftlern zwei lachhafte Witzfiguren!
Tun Sie doch bloß nicht so scheinheilig!

Mit Ihren Kommentaren haben Sie diesen unsäglichen Zwist doch noch angeheizt!
So eine Schande!
#HORNOXIUS
9984 KOMMENTARE

A-aber ihre Stiche-leien waren nun mal so unterhaltsam!
Und ihre Wortwahl so originell! Einfach zum Schreien komisch!
Statt Vernunft walten zu lassen und den Schnabel zu halten, haben Sie diese Streitereien geschürt, nur um sich zu amüsieren!

Ihr Verhalten war mehr als... **indignusus extremus!**
Oooh!

Das hat gesessen! Ähm... was bedeutet das denn?
Hehehe! Ich habe keinen blassen Schimmer!

Dieses Wort habe ich noch nie gehört! Wissen Sie, wovon er spricht?
Lassen Sie uns rasch in der Bibliothek nachschlagen!
Da können sie lange blättern... Aber so kommen sie immerhin nicht mehr auf dumme Gedanken!
Haha!
EN DE

Created 2021

Marco Bosco (Story), **Marco Mazzarello** (Zeichnungen)

Sieht wie Brombeer-saft aus.
Dafür wirst Du bezahlen!

Und da oben wachsen überall Brombeeren.
Racke hat vielleicht welche gepflückt und sich dabei die Finger schmutzig gemacht.

Nein! Ricki ist allergisch gegen Brombeeren. Das ist bekannt.
Dann wird er sie nicht einmal anfassen.

Aber woher stammen die Flecken dann?
Vielleicht sind Beeren über den Boden ge-kullert...

...nachdem der Wind sie vom Strauch geweht hat.
Der Wind? Aber klar doch!

Was, wenn wir auf der fal-schen Fährte sind?
Ich verstehe nicht, Herr Maus...

Erinnern Sie sich an die beiden Zelte? Das von Kurt Krume stand nördlich.

Und der Wind wehte nach Süden...
NORDEN
SÜDEN

...wo Erwins Zelt stand. Wohin hätte der Wind ein Blatt Papier geweht?
Aah! Jetzt verstehe ich, was Sie meinen. Die Drohung galt nicht Erwin, sondern Krume!

Klar! Der Wind hat den Zettel ins falsche Zelt geweht.
Was wir bisher nicht bedacht haben...

...und Krume daher völlig aus dem Blick ließen.
Wir haben uns durch den Augenschein täuschen lassen.

Ändern wir das sofort! Was ist über Kurt Krume bekannt?
Im Moment nicht mehr als sein Name und dass er im Sonnenblick wohnte.
Gleich werden wir sicher mehr über ihn wissen.

Ich muss nur fix eine Daten-abfrage starten...
KLICKER KLACKER

O Schreck! Krume ist ein verurteilter Verbrecher!
POLIZEI DÖSBRUNN
KRUME, ID # 453
DIENSTSTELLE: RATTENSTETT
LANDESPOLIZEI
?
KURT KRUME

Er wurde gerade erst aus dem Gefängnis von Ratten-stett entlassen.
Hm, wenn dieser Mann ein Ganove ist...
...dann könnte die Drohung mit einer seiner Schurkereien zu tun haben.

In dem Fall wäre er das Opfer der Entführung und...
...Erwin nur der unliebsame Zeuge. So wird ein Schuh draus!

Sie sagten vorhin, Krume wohnte im Sonnenblick?
Ja! Vorgemerkt für eine ganze Woche. Ich denke...

„...wir sollten uns dort einmal umsehen."
HOTEL SONNENBLICK
Hallo, Jeremias! Ich muss das Zimmer von Kurt Krume inspizieren.
Ach du liebes bisschen! Was ist denn passiert? Ist er im Wald verschollen?
HOTEL SONNENBLICK

Hier ist der Schlüssel. Wir haben nichts angefasst.
Danke! Wenn ich dich brauche, rufe ich dich.
LICHTEN-KOGEL

Ob wir hier etwas Brauchbares finden?
Ich hoffe es. In seinem Rucksack waren ja nur Klamotten...

...also wird Krume seine persönlichen Sachen im Zimmer gelassen haben.
Stimmt! Auf eine Wanderung nimmt man ja nur das Nötigste mit.

Es sei denn, er... oh! Die Tür wurde aufgebrochen!

Bleiben Sie besser hinter mir!

Was ist denn hier geschehen? Hat hier ein Wirbelsturm gewütet?
Könnte man so sagen. Jedenfalls war hier jemand äußerst neugierig.

Vorsicht! Da... **argh!**
WACK

Haltet ihn auf!

Sind Sie okay, Sheriff?
Bleiben Sie stehen! Sie haben keine Chance!

Keuch! He! Wo ist er hin?

Verzeihung! Haben Sie gesehen, wer da gerade die Treppe hinuntergerannt ist?
Tut mir leid! Ich war mit der Abrechnung beschäftigt. Da habe ich nur Augen für Zahlen.

Hmpf! Dann wurde ich offenbar gekonnt abgehängt.
Wie stehe ich denn jetzt da?
Es ist nicht Ihre Schuld! Sie wurden überrumpelt.

Er ist mir entwischt. Offenbar weiß dieser Kerl, wie man die Biege macht.
Fragt sich, wer er ist und wieso er das Zimmer durchwühlt hat...

Er hat etwas gesucht. Die Frage ist nur, was?
Wenn er es gefunden hat, werden wir es nie erfahren.

He! Seht euch das an!

Auf diesem Briefblock wurde offenbar...

...der Drohbrief geschrieben.
!

Dann haben wir uns vielleicht wieder geirrt. Krume war gar nicht das Opfer...
Im Gegenteil! Er könnte sogar der Autor des Drohbriefs gewesen sein.

Und er könnte den erpresst haben, der ihn entführt hat.
Gut kombiniert, Minnie!

Wenn das so ist, was hatte Ricki Racke dann auf dem Kogel zu suchen?
Das müssen wir herausfinden.

Die Tatsache, dass Rackes Wagen da oben war, deutet darauf hin, dass er etwas mit Krume zu tun hat.
Graben wir ein wenig in Krumes Vergangenheit. Da wird sich die Verbindung finden lassen.

Könnten Sie Edna darum bitten, mal gründlich nachzuforschen?
Klar! Ich rufe sie sofort an.

Und was machen wir inzwischen?
Wir könnten uns Ricki Racke noch einmal vornehmen...

„...und ihn ein wenig unter Druck setzen.“
Wir haben den Beweis, dass dein Geländewagen auf dem Lichtenkogel war. Also, wie kam er dahin?
Keine Ahnung! Ich lasse die Karre immer an der Straße stehen. Jeder könnte damit gefahren sein!
Lassen Sie denn immer den Schlüssel stecken?
Ja, natürlich! Das machen hier doch alle.
Stimmt. Dösbrunn ist ein verschlafenes Örtchen, in dem...
...nie etwas passiert... ich weiß.
Welches Verhältnis haben Sie zu Kurt Krume?
Was soll die Frage? Ich höre den Namen zum ersten Mal.
Und jetzt reicht es mir! Wenn ihr mich weiter belästigt, rufe ich meinen Anwalt an.
Beruhige dich! Ich mache nur meine Arbeit.

Glaubt ihr, er hat die Wahrheit gesagt?
Also, mir kam er glaubhaft vor.
Aber Schurken wissen, wie man lügt...
Hallo! Seht mal, wer da kommt!
So ein Zufall! Kommen denn heute gar keine Züge?
Schon, aber wir machen eine Pause.
Damit wir morgen wieder auf dem Damm sind.
Dann kommt die Bergbahn mit einer neuen Lok hier an.
Mit einer Ruettel & Pfeiff, der einzigen Dampflok mit kippbarem Tender.
Hört sich toll an! Genießen Sie den Spaziergang.
!
DÖS-BRUNN

Eine neue Lokomotive mit... Moment mal!
Wieso? Was ist denn?

Wir müssen zum Hotel zurück! Ich muss unbedingt etwas überprüfen.

Am späten Abend...
Vorsicht, Sheriff! Er darf nicht bemerken, dass er beobachtet wird.
Nur keine Bange! Der Wagen meiner Verlobten fällt nicht sonderlich auf.

Seid ihr sicher, dass er uns zu dem Versteck führt?
Sicher nicht, aber vielleicht haben wir Glück.

Tja, dann drücken wir uns mal die Daumen.

AUF
WIEDERSEHEN
IN
DÖSBRUNN

Das Spiel ist aus, Elmar!
Argh!
?

Gleich sind Sie frei, Herr Erzle.
Danke! Bin ich froh, Sie zu sehen!

Für Herrn Krume mag die Situation nicht ganz ungewohnt sein, hehe!
Grmpf! Vom Regen in die Traufe.

Du hast mich entlarvt. Vermutlich kennst du die Geschichte bereits.
Nur in Teilen. Den Rest kannst du uns erzählen.
Und Sie können sicher sein, dass wir gern zuhören werden.

Fangen wir am Anfang an: Seit wann kennst du Kurt Krume?
Seit zehn Jahren. Wir waren damals Partner in... nun ja, sagen wir mal, in nicht ganz sauberen Geschäften.
POLIZEI DÖSBRUNN
KRÄMER

Geschäfte, die ihn ins Gefängnis brachten?
Ja... während ich untertauchen konnte.

Natürlich glaubte Kurt, dass ich ihn an die Polizei verraten hätte.

Ich beschloss, mir eine ehrbare Existenz in einem beschaulichen Bergdorf aufzubauen.
Hast du wirklich geglaubt, er würde dich hier in Dösbrunn nicht finden?

Nachdem er Sie gefunden hatte, erpresste er Sie.
Ja! Mit absolut überzogenen Forderungen.

„Er wollte eine Million Taler von mir. Woher hätte ich die denn nehmen sollen?“
Zahle, oder ich plaudere!

Da Sie nicht so viel zahlen konnten, mussten Sie ihn irgendwie loswerden.
Genau! Ich gab vor, ihm das Geld geben zu wollen, und verabredete mich mit ihm auf dem Lichtenkogel.

„Dort hatte ich ihn rasch überrumpelt und schickte ihn ins Reich der Träume...“

Leider hatte Erwin den Überfall mitangesehen.
Weil er zum falschen Zeitpunkt zu seinem Zelt zurückkam.

„Ich hatte keine Wahl, ich musste ihn auch schlafen legen..."

„Und dann brachte ich beide in Rickis Wagen zum Versteck."

Den Wagen hatten Sie sich vorsorglich „geliehen".
Da oben in den Bergen braucht man nun mal einen Allradler.

Aber wie Sie für ein Alibi sorgten, war beinahe genial.
Mir war klar, dass Sie früher oder später auf mich zukommen würden.

Daher engagierten Sie Ihren alten Kumpel Gert Griesig.
Ein Kleinganove aus Klammheim, der vom Trickbetrug lebt.

Das Foto von mir hatte er zwei Tage zuvor gemacht...
...und es dann in seinen Ordner mit den aktuellen Aufnahmen kopiert.

Dann machte er uns glaubhaft vor, er habe Sie zufällig fotografiert.
An sich hätte ich damit das perfekte Alibi gehabt, zumal niemand wusste, dass wir uns kannten.

Wie sind Sie überhaupt dahintergekommen?
Als Griesig uns das Foto zeigte, sagte er etwas von einem Kohlenkasten.

Ein echter Trainspotter hätte natürlich das Fachwort dafür verwendet: „Tender“.

Als er das sagte, ist es mir gar nicht aufgefallen...
...aber später, als wir mit echten Spottern sprachen, ging mir ein Licht auf.
POLIZEI DÖSBRUNN

Also haben wir auch noch einen Trickbetrüger enttarnt.
Dieser Dämel hat alles kaputtgemacht. **Grmpf!**

Dann hat Gert Griesig vermutlich auch Krumes Zimmer verwüstet.
Ja! Damit wollte er die Spuren verwischen, die zu Elmar Elch führten.

Und er ließ mich glauben, er habe mich im Hotel abgehängt.
Dabei war er nur rasch in sein eigenes Zimmer gehuscht.

Minnie, Micky... Sie beide haben so viel zur Lösung dieses Falles beigetragen, dass ich Ihnen ewig dankbar bin.

Ohne Sie hätte ich das nie hingekriegt.
Doch, das hätten Sie. Und uns hat es Spaß gemacht.
Aber jetzt freue ich mich auf ein paar ruhige Urlaubstage!
In denen uns nur der kühle Wind erzittern lässt.
Dann ziehen Sie sich warm an! Hahaha!
POLIZEI
ENDE

Bruno Sarda (Story), **Giampaolo Soldati** (Zeichnungen)

Und 987...
988...

Erst futtern mir die Eisbären die Schafe weg, und dann hilft es nichts, die Biester zu zählen!
POFF

Ich glaube, ich habe mir einen Sonnenstich geholt, so finster es auch ist.

Und kein Luftzug durchs Fenster. Nicht mal heimlich, wie ein Dieb in der Nacht.

Wa-warum sage ich auch so was?

Hallo, Sie! Sie haben sich verstiegen! Hier gibt es nichts Bares zu holen!
KLICK

Wenn ich Kohle hätte, wäre ich schon längst raus aus dieser Sauna und würde irgendwo auf einem Gletscher zelten!
Klaro. Ich war auch nicht auf Knete aus.

Ich dachte, vielleicht gibt es eine Klimaanlage in Ihrer Bude, die ich abgreifen kann.

„Ich habe es im Supermarkt versucht, aber..."
HYBRIS & CO. SUPERMARKT

...die hatten nur noch das hier herumliegen!
Ein Einbruchversuch, geboren aus der Not, verstehe ich recht?

Nun gut, dann will ich mal nicht so sein und auf eine Anzeige verzichten. Ein wenig Kühlung bei der Hitze ist einfach zu verlockend.

Aber es gibt nirgendwo mehr Klima-anlagen zu kaufen! Ich habe gesucht! Und jetzt suchen Sie auch, und zwar das Weite.
Kann ich wenigstens das Figürchen haben? Von wegen Berufsstolz, Sie verstehen.

Außerdem ist es süß!

Und ich werde sauer! Raus!

Am nächsten Morgen...
Vierzig Grad. Schon wieder. Mindestens. Da muss ich keinen Wetterbericht lesen.

Der Dieb von gestern Nacht hatte recht. Da hilft nur eine Klimaanla... aha?
ENTENHAUSENER KURIER
LOKALES:
ENTENHAUSEN SCHWITZT!

Das liest sich wie eine gute Nachricht!
KLIMAANLAGEN
KLIMA KASPER
RESTPOSTEN! SIE ZAHLEN, WIR KÜHLEN!

Und daher...
Unglaublich! Ich habe tatsächlich noch die letzten beiden Klima-anlagen ergattert!

Heute meint es die Glücksfee gut mit mir! Ist das nicht ein...
DING DONG

...Schock. Du hier?

Vergiss es, Dussel! Deine Firma soll einen Mechaniker schicken, der nicht vier linke Daumen hat!
KLIMA KASPER

Du setzt mir hier jedenfalls keinen Fuß in die Tür!
Schon geschehen, Vetter!

Und sei froh, dass du mich hast! Die Kollegen sind alle anderswo im Einsatz.
Hast du wenigstens entfernt eine Ahnung von der Materie?

Ahnung ist was für Amateure. Ich verlasse mich auf mein hart erkämpftes Können!
M.U.R.K.S. Was soll das heißen?
Fernkurs zum M.U.R.K.S. Diplom

Mechaniker und reifegeprüfter Klimatechnik-Spezialist! Ich habe den Kurs sogar gleich viermal gemacht.

So, und jetzt lass mich arbeiten, sonst wird das nichts mit der Kühlung.
Seufz! Ich fürchte, für hitzige Diskussionen ist es heute einfach zu warm.

Also tu, was du nicht lassen kannst. Aber hab ein bisschen Mitleid!
Scherzkeks! Du wirst es nicht bereuen.

Zum Glück lenkt mich das Pokalfinale ein wenig ab von dem Wahnsinn.

Das würde ich um nichts auf der Welt verpassen wollen!
Boah! So viele Kabel. Braucht man die denn alle?

Mein Fachverstand sagt eindeutig Nein.
SCHNIPP

Was zum Kuckuck?
FUMP

Das warst du!
Mach das heil, eh
es bei mir auch einen
Kurzschluss setzt!
Kein Grund
zur Aufregung,
Donald!

„Das ist schnell
repariert!“
Siehst
du?
Ja, ich sehe. Aber
leider hat es bis dahin
zwei volle Stunden
gedauert.

Ich weiß nicht ein-
mal, wie das Finale
ausgegangen ist!

Wir haben gewonnen.
Sieben zu null. Lauter
spektakuläre Tore.
Die wir auch allesamt
verpasst haben, weil der
Strom im ganzen Viertel
ausgefallen war!

Aber wenigstens wissen wir jetzt, wo das Übel seine Wurzel hat.

Und die wird gezogen! Mit der Zange!
Au-Augenblick! Lassen Sie mich doch erklären!

Einen vergeblichen Erklärungsversuch später...
Ächz! Verhinderte Fußballfans können sehr nachtragend sein. Mehr sage ich nicht.

Ich gebe die Abreibung einfach weiter!
Glaube ich nicht.

Weil die arktische Brise meiner Klimaanlage dein Mütchen kühlen wird.
ZISCH
KLICK

Na, was sagst du?
Ein bisschen arg arktisch, oder?

Das ist normal am Anfang. Gleich wird es wieder wärmer.
Und wie! Wüste ist Wintereinbruch dagegen!
Hoppla! Ich habe aus Versehen den Turbo-Heizgenerator aktiviert!
Lange genug, um Daisys Blütenpracht in Trockenblumen zu verwandeln!
„Das gibt ein Drama, wenn sie aus dem Urlaub kommt!“
Ich vertraue dir meine Lieblingspflanze an! Pass gut auf sie auf!
Hegen und pflegen werde ich sie! Du wirst sie kaum wiedererkennen!

Schnaub! Wer dir vertraut, ist verraten und verkauft!
Das ist aber nicht wahr.

Es funktioniert, als hätte ich es selbst erfunden!
FFFFT
Das ist ein Widerspruch in sich. Aber bitte, dann mach dich an die zweite Anlage!

Warte mal, Donald! Sitzt die hier nicht einen Tick schief an der Wand?

Aber nein, gar nicht! Vergiss es! Finger weg, sei so gut, ja?
Kommt nicht infrage!

Dor Kundo orwartot Perfektion, und die bekommt er!

Deshalb werde ich die Sache geraderücken!

Ein wohlplatzierter Nagel löst das Problem mit einem Schlag!

HÄMMER
O nein! Du hast eine Wasserleitung gelöchert!
SPROTZ

Man schöpft bis an den Rand der Erschöpfung...

...und sichtet dann den Schaden...
Den Boden kann ich wegwerfen, und die Möbel hinterher.

Und mich macht die Hitze auch nicht haltbarer.
Von wegen Hitze! Wir haben hier drin aufs Gramm genau 22 Grad!
22
KLIMA KASPER

Du hast recht! Mir war nur vom Werkeln warm geworden!

Ja, während du geschrubbt hast, habe ich geschraubt. Und das ist das Ergebnis!
KLIMA KASPER

Sitzt, passt und von Wackeln keine Spur! Das nenne ich Wertarbeit!
POCK POCK
Nein, lass das!

RÜTTEL
KNIRSCH
O nein!

KRACKS
POLTER

KLONK
SCHEPPER
DUMP

Stöhn! Was war das?
Ein kleines häusliches Missgeschick.
TSCHIRP
TSCHIRP

Aber es hat auch seinen Vorteil! So sparst du dir die Kosten für die zweite Klimaanlage!
KLIMA KASPER

In diesem Raum brauchst du nämlich keine mehr! Fenster auf, und durch das Loch hast du eine natürliche Lüftung! Frischluft frei Haus!
Meine arme Wand.

Ich mache mich an die zweite Klimaanlage. Es sei denn, du magst da auch lieber die Lösung mit dem Loch.
Nein!

Hände weg von meinen Wänden, du Vandale!

Warte, wenn ich dich erwische, treibe ich dir die Flausen aus mit dem Feudel!
Hilfe!

Sind wir etwas jähzornig?
Ich schon, und wie! Also lass mich runter, du Uhu, du uniformierter!

Jetzt bin ich beleidigt. Und Beamter. Was gibt das?
Beamtenbeleidigung.

„Und einen Besuch in der Besserungsanstalt!"
Nun sieh mal einer an! Was machen Sie denn hier? Haben Sie sich auch die Finger an einer Klimaanlage verbrannt?
Ein schlechter Spruch macht es nicht besser.

Und warum treffe ich ausgerechnet Sie hinter Gittern?

Oh, als ich aus Ihrem Garten kam, bin ich direkt der Polizei in die Arme gelaufen. Zum Glück, jawohl!

Weil der Knast tatsächlich eine Klimaanlage hat!

Das ändert alles! Mir aus dem Weg!

Hier drin habe ich wenigstens meine Ruhe vor der Hitze...

...und vor Dussel!

ENDE

Marco Bosco (Story), **Federico Franzò** (Zeichnungen)

Also werde ich den Sommer mutterseelenallein zu Hause verbringen...
Aber, aber! Das musst du doch nicht.

Wie wäre es mit zwei Wochen im Miramar-Hotel in Duckapulco?
?

Pff! Deine „Angebote“ kenne ich. Am Ende muss ich rund um die Uhr für dich arbeiten!
Diesmal irrst du dich. Was ich dir hier vorschlage, bedeutet zwei Wochen pure Erholung!

Es gibt nur eine klitzekleine Bedingung...
Aha! Wusste ich's doch!

Aber wenn du denkst, ich... **hoppla!**
Das besprechen wir gleich. Zeit ist Geld!
WUMP

„Manchmal muss man sich eben schnell entscheiden!“
Schluck! Mac Ducker, der berühmte Rapper!
Yo-ho! Der soll den Job machen? Ich weiß nicht, ob das jemand glaubt...
Mit Perücke und anderen Klamotten schon!
Perücke? Klamotten? Was hast du nun schon wieder vor?
Das will ich dir sagen!
Mac ist bei mir unter Vertrag. Er bereitet ein neues Album vor!
DUCK RECORDS

Leider fehlt ihm zurzeit die Inspiration. Das Beste wäre ein Tapetenwechsel.
Aber wie, mit all den Fans? Die hängen mir doch überall an den Fersen!

„Da hätte ich keine Ruhe...“
Bekomm ich ’n Autogramm?
Komm, lass uns ein Selfie machen!
Deswegen dachte ich, ihr beide tut euch zusammen...
Warte mal! Lass mich raten...

Du willst, dass ich in Duckapulco für seine Fans den Köder spiele!
Genau! Und er lässt woanders die Seele baumeln.
Zwei Wochen in den Bergen, hach... Ich kann’s kaum erwarten!
Aber da werden Sie die Leute doch auch erkennen.

Aber da wartet keiner auf ihn! Über das Entnet verbreiten wir, dass er ans Meer fährt.
Und wenn ich meinen Hoodie über den Kopf ziehe, erkennt mich eh keiner mehr.
Das könnte klappen!

Was ist das für ein Hotel, dieses Miramar?
Oberste Spitzenklasse! Und er trägt alle Spesen.

Okay, Mac! Ist gebongt!
Abgefahren! Endlich kriege ich mal einen klaren Kopf!

Und so, am nächsten Morgen...
WILLKOMMEN IN DUCKAPULCO

Was das Hotel angeht, so hat Onkel Dagobert nicht gelogen. Das kostet 1000 Taler die Nacht! Mindestens!
MIRAMAR
HOTEL

Hey, da ist Mac Ducker!
Wahnsinn! Das muss ich gleich bei Zwitscher teilen!

Bitte sehr, Herr Ducker. Sie haben die Kaisersuite!
Fein, ich liebe Luxus.
MIRAMAR

Leute, hört mal! Mac Ducker ist hier in Duckapulco!
Das ist ja der Hammer!

Ich weiß sogar, wo er abgestiegen ist.
Dann besuchen wir ihn doch gleich!

Und bevor man sich versieht...
Komm raus, Mac!
Zeig dich!
Sing uns was Scharfes!
MIRAMAR
HOTEL
MAC
I LOVE U
DANKE, DASS ES DICH GIBT!

Oha! Da unten steppt ja der Bär!
Kreisch! Da ist er!

Es läuft wie geschmiert, Onkel Dagobert. Die halbe Welt steht vor meinem Fenster!
Sehr gut, Donald!

Du musst nichts weiter tun, als dich ab und an zu zeigen und lässig zu winken!
Sei unbesorgt, das ist eine meiner leichtesten Übungen. Over and out!
DD

Das Double spielt also seine Rolle. Sehen wir mal, was das Original treibt!
DRRRRR
DRRRRR

Und? Läuft alles spitzenmäßig in den Bergen?
Könnte nicht besser sein, Meister!

Wenn ich hier spazieren gehe, begegne ich keiner Menschenseele. Und vor allem keinen Fans!
Hehe! Dafür reißen sich alle darum, Ihnen in Duckapulco über den Weg zu laufen.

Und was macht die Inspiration?
Sagen wir mal, die Ruhe lässt hoffen!

Ein paar Ideen habe ich schon für mein neues Album!
Freut mich! Halten Sie mich auf dem Laufenden.

Sie sehen zufrieden aus, Herr Duck! Kann ich daraus schließen, dass der Plan...
Ja, Baptist! Meine Plattenfirma rennt goldenen Zeiten entgegen!
DD

Und so...
Darf ich fragen, wie dem Herrn das Mittagessen gemundet hat?
Es war sagenhaft, schleck! Wie Sie sehen, habe ich nichts übrig gelassen.

Nach dem Essen soll man ruhn... und den Fans was Gutes tun!

Ju-huuu! Seid ihr noch alle da?
Wow, da ist er wieder!

So, die haben, was sie brauchen... Das sollte fürs Erste reichen.

Zum Abendessen kriegen sie die nächste Portion. Schnurchl...

Unterdessen in Entenhausen...
Grmpf! Zu mehr als Platz zwei hat es nicht gereicht? Bei allem, was ich in Sie investiert habe?
Meine Schuld ist das nicht, Herr Klever! Ich habe mein Bestes gegeben!
KLEVER RECORDS
Aber gegen Mac Ducker ist es schwer anzukommen...
Ich weiß schon... seine Texte sind was Besonderes.
KK
Dann schreiben Sie eben bessere! Strengen Sie sich ein bisschen an!
Das sagt sich so leicht. Bisher hat das keiner geschafft!
Beim Freestyle-Battle* in Gansdorf hat er jeden an die Wand gespielt! Auch mich!
Erinnern Sie mich nicht daran. Dreitausend Besucher waren gegen Sie, also praktisch jeder!
Lay-Z
KK
*Ein Konzert, bei dem sich jeder Rapper spontan Texte ausdenkt. Das Publikum stimmt ab, wer der Sieger ist.

Vielleicht könnte man Mac Ducker überrumpeln...
Wie? Was meinen Sie, Anwantzer?

Er macht derzeit in Duckapulco Urlaub. Also ist er nicht in Arbeitslaune...

Wir fordern ihn heraus, wenn er am wenigsten damit rechnet!
Hm... das klingt nicht übel! Dann ist er nicht darauf vorbereitet, gut zu sein!

Und mit ein bisschen Glück verheddert er sich und verliert den Faden!
So dachte ich, hehe!

Wir filmen das und stellen es sofort bei Duckstagram rein! Können Sie sich vorstellen, was dann passiert?
„Lay-Z schlägt Mac Ducker!“ Das ist es, was wir brauchen!
KK

Ich finde es aber nicht sehr fair, ihm eine Falle zu stellen, Herr Klever.
Aber mein Lieber, Sie wollen doch an die Spitze, oder?

Ich weiß, wo wir ihn finden! Er ist im Miramar abgestiegen.
Das ist das teuerste Hotel am Platz! Natürlich...

„...folgen wir seinem Beispiel!“
Ein Privatstrand, Getränke frei, ein persönlicher Kellner... Das bekommt nicht mal Gustav auf seinen Luxusreisen!
MIRAMAR
HOTEL

Vom Zimmerservice ganz zu schweigen. Ich habe schon wieder Lust auf Pizza!

Achtung, da kommt er!

Er wird jeden Augenblick hier sein! Sind Sie bereit?
Bin ich, Boss! Um den Beat* zu starten, muss ich nur die Taste drücken.
*Grundlage eines Rap-Songs.

Ich ziehe mich zurück. Jetzt liegt alles bei Ihnen!
Verlassen Sie sich darauf!

Heute esse ich eine Pizza mit Oliven und Kapern. Schmatz!

Und dazu trinke ich... huch!
Ich bin Lay-Z und wer bist du? Du bist ein Niemand! Was sagst du dazu?
DUMM
DUMM
DUDU
DUMM

Na gut, jeder fängt mal irgendwo an, aber wenn ich dir einen Rat geben kann...
Ja?
DUDU
DUMM

Bro, lass deine Reime lieber in Ketten, so kannst du deine Zeit und meine Ohren retten! Und sowieso, was ist das für ‘ne üble Show? Du Sonntagsrapper hast überhaupt keinen Flow! Yoho!
DUMM
DU-DU
DUMM

Ja, ich durchschau dich, ich bin mal so frei! Dein Erfolg ist mäßig und meiner ist crazy. Was auch sonst? Ich bin nämlich Lay-Z!
Das läuft ja wie geschmiert! Haben Sie alles, Anwantzer?
Bis zum letzten Beat, Boss!
411

Gut! Wir stellen das Video auch bei YouDuck rein. Das wird ein Spaß!

Ich verstehe zwar nicht, was das sollte, aber mir schwant nichts Gutes!

Wenig später...
Das war echt peinlich! Mac hat nicht mal den Schnabel aufgekriegt.
Aber hallo! Lay-Z hat ihn völlig demontiert!
...hast überhaupt keinen Flow!
DU DUMM
Guck dir mal seinen Blick an!
Der ist im Keller, da bin ich mir sicher!
Lay-Z war echt hart drauf!
Hoffentlich gibt's noch Karten für sein Konzert!
Lay-Z
AUF TOUR

Wir haben die ersten Rückmeldungen. Die Streamings Ihrer Songs haben sich verdreifacht!
Sagenhaft! Wer wäre auch darauf gekommen, dass Mac Ducker als Reaktion nur stumm dasteht?

Ihr nächstes Album wird noch besser laufen! Zufrieden?
Huch... klar...

Daran wird Duck Records schwer zu schlucken haben! Macs Ansehen ist mächtig gesunken.

Unterdessen...
Was für eine Blamage! Hättest du nicht irgendwie reagieren können, Donald?
Der hat mich völlig kalt erwischt! Und ich bin nun mal kein Rapper...
HALT!
STOPP!
GRRR!

Um spontan zu reimen, braucht man Übung und Erfahrung.
Jedenfalls können wir das nicht einfach so hinnehmen!

Ich rufe Mac Ducker an. Er muss zu dir nach Duckapulco kommen!
Alles klar!

So...
Ich fordere dich zum Duell, Lay-Z! Morgen Abend um neun im Salon des Miramar!
DIPPED

Freestyle-Battle, live! Lassen wir das Publikum entscheiden!
Hm... es war ja vorauszusehen, dass er was unternimmt.

Sie haben ihm den Fehdehandschuh hingeworfen. Auf diese Herausforderung müssen Sie eingehen!
Schon, aber... ich fürchte, das läuft dann so wie in Gansdorf. Diesmal habe ich keinen Überraschungsvorteil!

Und Mac wird voll wütend sein...
Wir werden sehen. Bereiten Sie sich vor!

Da hat er vermutlich recht, Boss.
Wennschon! Ich habe noch ein Ass im Ärmel.

Er ist auf das Duell eingegangen! Als Reaktion sind die Werte von Mac wieder hochgeschnellt!
Zittere, Klaas Klever! Deinem Sängerknaben werden bald die Töne im Halse stecken bleiben!

TOCK TOCK
Wenn das nicht unser Champion ist! Er reist inkognito.

Hallo, Leute!
Wie? Was ist denn passiert? Warum sprechen Sie so leise?

„Ich habe eine Halsentzündung. Ich war so leichtsinnig, in einem kalten Gebirgssee zu baden."
Brrr!

„Und ich hatte nicht die richtigen Sachen an, als ich über die Gletscher wanderte!"
Klapper! Klapper!

Es tut mir leid, ich kann nicht auf die Bühne!
Was? Wenn Sie nicht auftreten, denken alle, Sie kneifen!

Damit wäre Ihre Karriere beendet!
Ich weiß... aber was soll ich denn tun?

Wir könnten den Leuten sagen, dass nicht Mac, sondern ich bei YouDuck zu sehen bin.
Machst du Witze? Wenn die Fans merken, dass Mac sie hintergangen hat, werden sie ihm das nie verzeihen!

Nein, wir brauchen... eine Idee!
?

Du wirst gegen Lay-Z antreten!
Wie bitte? Ich kann doch gar nicht rappen!

Kein Problem, Mac gibt dir den Text vor! Und deine Stimme verändern wir ganz einfach mit unseren technischen Hilfsmitteln in seine!
So was muss man proben! Und der Wettstreit beginnt schon in zwei Stunden...
Ich finde das auch etwas problematisch!

Und ich finde, das ist unsere einzige Chance! Es geht um Ihre Zukunft und mein Geld. Also los!
Zu Befehl!

Ich besorge die nötigen Gerätschaften. Wir treffen uns im Salon!

Ich muss mich vorbereiten. Peace out!
Ja... äh, tschö mit ö?

Ich bin völlig verspannt! Ich werde ein paar Schritte am Strand laufen.

Schluck! Jetzt weiß ich, warum manche Sänger Lampenfieber haben.

Herr Ducker, da möchte Sie jemand sprechen!
Wie?

Wer ist es denn?
Ach, es ist nur...

...diese gut verschließbare Hütte!
Ächz!

He! Was fällt Ihnen ein?
Schreien Sie nur! Der Strand ist leer, keiner wird Sie hören.
KLACK

Alle werden denken, dass er nicht antritt, weil er die Hosen voll hat!
Und wir werden das zu unseren Gunsten nutzen!

Beeilen Sie sich, Lay-Z! Wir müssen jetzt runter. Nanu? Wo steckt er denn?
Vielleicht ist er im Hotelzimmer und bastelt an seinen Texten?

Nein, hier ist er auch nicht. Rufen Sie ihn an, schnell!
Tue ich ja, aber er geht nicht ran.

Hmpf! Wir müssen ihn finden! Wenn er nicht erscheint, sind wir geliefert!

Wo bleiben Mac und Donald denn? Es ist schon Viertel vor neun!
Salon

Ich werde...
Was? Sie hier?
Dagobert Duck?

Sie schleimiger
Wurm, was haben
Sie wieder aus-
geheckt?
Das werden
Sie schon sehen,
Sie knittriger
Frack!

Hört auf, euch zu
streiten! Wir haben uns
längst vertragen!
Donald? In den Kleidern
von Mac Ducker?
Was macht ihr denn
zusammen hier?

Heißt das,
wir haben...
Genau! Sie hatten
mich am Strand
eingesperrt!

Und er hat
mich wieder
rausgeholt.
Genau! Ich dachte
mir schon, dass Sie
wieder was Faules
ausbrüten! Also habe
ich Sie verfolgt.

„Ich habe alles beobachtet...“
„...und tat das einzig Richtige!“
Allerdings hielt er mich für Mac, und so hat er mir alles erzählt, was geschehen ist!
Sie hatten die Idee mit dem spontanen Rap, aber ich war von Anfang an dagegen!
Salon
Es tut mir wirklich leid, Mac!
Ist schon vergessen, Bro!
Den Rest kann ich mir denken. Du hast dich enttarnt...
...und ich habe sie dazu gebracht, gemeinsam aufzutreten!

Wir sind es leid, unsere Kunst für Ihre Spielchen einzusetzen.
Genau, wir wollen uns nicht gegenseitig fertigmachen. Viel lieber möchten wir zusammen auftreten!
Was? Das geht nicht! Sie arbeiten für verschiedene Plattenfirmen!

Wir halten uns ja an unsere Verträge! Aber da steht nicht drin, dass wir nicht zusammen auftreten dürfen.
Das können Sie uns nicht verbieten! Und überhaupt werde ich den Vertrag nicht erneuern, so wie Sie sich aufgeführt haben!

Grrr! Das ist alles deine Schuld, du Unglücksvogel!
Peace... Dings...

Schluss jetzt! Donald ist unser Freund, dem tut keiner was zuleide!
Ich würde Ihnen raten, es nicht darauf ankommen zu lassen!

Seufz... mit Mac Ducker verliere ich Millionen.
Mir geht es ähnlich... mögen Sie mal?
Du hast uns geholfen, da rauszukommen! Wie können wir dir nur danken?
Ach, ich erwarte nicht viel...
„...ich möchte nur diesen Urlaub fortsetzen dürfen!“
Ey Bro, vor jeder Show werden meine Knie weich und mein Magen so flau...
...da helfen nur Mamas Spaghetti und mein Kumpel Mac, auf den ich bau.
MIRAMAR HOTEL
DUMM DU DU DU DUMM
Sonne, Meer und gute Musik! Was kann es im Urlaub Besseres geben?
ENDE

Alberto Salvini (Story), **Nicolino Picone** (Zeichnungen)

Wie soll ich dir helfen, die Zeit zu vertreiben, wenn dir nichts recht ist?
Meck?

Da ist wohl jemand urlaubsreif, wie?
Oh! Hallo, Dussel! Was machst du denn hier?

Ich suche eigentlich die Erstausgabe von „Flotte Ferien auf dem Bauernhof"! In der Stadt ist sie leider vergriffen!

Hm, gut möglich, dass du hier fündig wirst, an der Quelle sozusagen.
Ha! Genau das habe ich mir auch gedacht!

Doch den Urlaub sollten wir woanders verbringen. Lass mich mal machen...
Meinetwegen. Aber Billy muss es auch gefallen.

Mit Ferien auf dem Bauernhof kommt man bei ihm gerade nicht sehr weit. Schon gar nicht flott.
Hehe!

Stunden später...
Freu dich, Franz! Den Bewertungen im Internet zufolge ist das eine super Ferienanlage!
Und du bist dir sicher, dass Billy auch willkommen ist?
COOL
PARKPLATZ
FERIENANLAGE
ENT-O
SPROTZ
BRUMM

Klar doch! Haustiere sind erlaubt!
ENT-O

Wir machen die Fliege, Rossario!
?!

Warum ziehen Sie so ein langes Gesicht? Hat es Ihnen und Ihrem Pferd hier nicht gefallen?
Wie denn? Wir durften gar nicht erst rein!

An Haustieren sind nur Hunde, Katzen und kleine Vögel erlaubt!
Schluck! Schade.

Stimmt etwas nicht, Dussel?
Nein, aber wir müssen uns etwas einfallen lassen!
ENT-O

Was haben wir denn da Nützliches?
KRAM
RAMSCH
SCHEPPER
Dies und das... und Kleber!

Ich liebe Kofferräume voller Gerümpel.
Was hast du mit dem ganzen Kram vor?

Das wirst du gleich sehen... Komm, Billy!
?

Kurz darauf...
Hallo! Ich habe ein Ferienhaus auf Dussel Duck reserviert!
Oha, und was ist das da für ein Tier?
DER GROSSE TRICKOWITSCH

Eine Eskimokatze natürlich! Haben Sie noch nie eine gesehen?
Meck!

Aber hat sie gerade gemeckert?
Räusper... so hört sich ein arktisches Miau nun mal an! Sagen Sie...

...wann tritt der Zauberer denn auf?
DER GROSSE TRICKOWITSCH
Heute Abend! Es ist sein allererster Auftritt bei uns!

Prima! Das werde ich mir keinesfalls entgehen lassen!
Na, dann ist ja alles klar! Und wo finden wir unser Ferienhäuschen?

„Direkt neben dem Pool! Nummer 23!“
Folge mir auf Samtpfötchen, Billy!
POOL

Das lief wie geschmiert, oder?
Aber ob die Verkleidung auch hält?

Er darf halt einfach nicht nass werden!
!

Auweia!
WUSCH

Eigentlich schwimmt er nicht gerne...
Umpf! Das sieht man!
PLATSCH

...wenn er den Pool nicht für sich alleine hat.
Dafür hat er gesorgt.
Iiiiiiiiiieh!
He, Zicklein! **Raus mit dir!**
Ah! Ein wildes Tier im Pool!

Und so...
Wir könnten ihm ein paar Federn ankleben, dann ginge er vielleicht als Kormoran durch!
Billy, ver-such mal zu krächzen...
Me-eck!
Schwierig wird es nur beim Auf-der-Stange-Schlafen!
Und ich hatte mich schon so auf den Zauberer gefreut!
Wenn das so ist, dann...
„...schleichen wir uns hlneln und mlschen uns unter die Gäste!“
Niemand zu sehen! Warte hier auf uns, Billy!
Jetzt kannst du in aller Ruhe planschen! Gut so?
Meck!

Daraufhin...
KLATSCH
Beeil dich! Gleich geht's los!
KLATSCH
KLATSCH
Einen schönen guten Abend, verehrte Gäste!

Sind denn auch alle hier?
Jaaa!

Lassen Sie mich das lieber rasch überprüfen!

PUFF

Tatsächlich! Wir sind vollzählig!
PAFF
Oooh!

Liebes Publikum, herzlich willkommen zu meiner Show!
KLATSCH KLATSCH
Wow! Unglaublich! In Nullkommanix von der einen zur anderen Seite des Theaters!

Hehehe! Das wird ein unvergesslicher Abend!

Für meinen nächsten Trick brauche ich einen Freiwilligen! Wer ist bereit?
Ich! Ich! Bitte nehmen Sie mich!
Bingo! Mein Zwillingsbruder hat das Publikum voll im Griff! Und ich...

...kann in aller Ruhe die Ferienhäuser ausräumen! **Hehehe!**

?

Und hier haben wir auch schon das erste!
KLICK
KLACK

PITSCH
PATSCH

SCHÜTTEL

Volltreffer! Die Beute hat sich schon mal gelohnt, hehe!

Meeeeck! Meck!
?
KLICK
KLACK

Aaah! Was willst du denn hier? Mach dich vom Acker! Hau ab!
Schnauf!

Derweil...
KLATSCH
KLATSCH
Eine Runde Applaus für meine bezaubernde Assistentin Clementine!
Bravo!

Weiter geht's im Programm! Wer assistiert mir jetzt?
RUMS
Lass mich in Ruheee!

Hilfe! Haltet diese Bestie auf!
?
Was ist denn jetzt los?
Stöhn! Ich fürchte, das gibt Ärger!

RUMS
BUMS
ZACK
Urf!
KLIMPER

Grrr! Schon wieder dieses Vieh!
Dann können diese beiden Schwachköpfe auch nicht weit sein!

Weg hier!
Billy war wohl nicht mehr in Plantschlaune.

Nun mal langsam, die Herren!

Das ist doch mein Schmuck! Die Zauberer sind Diebe!
Grummel!
Stöhn!

Dieses kluge Zicklein hat sie überführt! Ich schlage vor, es bekommt dafür eine Woche Gratisurlaub! Mit allem Pipapo!

Tolle Idee!
Dazu sagen wir nicht Nein!
KLATSCH
JUBEL
Ich hätte da schon ein Pipapo...

Also...
Hier bleibt wirklich kein Wunsch offen! Das Buch gab es...
1
ERST-AUSGABE
FLOTTE FERIEN AUF DEM BAUERNHOF
...sogar **doppelt!** Eigentlich gar nicht möglich, so als Erstausgabe.
Da bekommt man direkt Lust, auf einem Bauernhof zu sein...
BLÄTTER
Wir könnten doch nächstes Jahr bei dir unsere Ferien verbringen!
Tolle Idee! Billy ist sicher auch dabei. Schließlich...
...werden diese netten Herren dann eh nicht mehr hier sein, oder?
Vom Zauberer zum Ziegenhirten... Pah!
Darf es noch ein Schlückchen sein?
SCHLÜRF
ENDE

Gorm Transgaard (Story), **Andrea Ferraris** (Zeichnungen)